Ommekeer
Ommekaar

Omslagillustratie: Sine van Mol
Zetwerk en opmaak: Bakermat

Redactie: Guido Bartholomees (leerkracht), Patrick Broos (orthopedagoog, VAC
'Kind in nood', Brussel), Gie Deboutte (leerkracht), Guy Malfait (Adzon vzw),
Herwig Teugels (Adzon vzw), Jes Van Loock (leerkracht), Sine van Mol (auteur),
Rit Verboven (leerkracht), Sylvia Verburgh (Adzon vzw)

Een coproductie van:

Solidariteitsactie Welzijnszorg
Huidevetterstraat 165
1000 Brussel
tel: 02/502.55.75
fax: 02/502.58.09

Adzon vzw
Anspachlaan 160
1000 Brussel
tel: 02/513.94.02

Bakermat Uitgevers
Koningin Astridlaan 160
2800 Mechelen
tel: 015/42.05.08
fax: 015/42.06.71

Bakermat Uitgevers Nederland
Postbus 1895
1000 BW Amsterdam

Distributie en verkoop Nederland: EF & EF in boeken, Beusichem
Distributie en verkoop Vlaanderen: VERDI, Mechelen

ISBN 90 5461 905 8
NUGI 723
D/1996/6186/10

OMMEKEER
OMMEKAAR

Spelen, stilstaan en praten
over gevoelens

illustraties: Sine van Mol

Adzon vzw - Solidariteitsactie Welzijnszorg - Bakermat

Inhoudstafel

Voorwoord

'Ommekeer, ommekaar' heeft een hele geschiedenis achter de rug. Aan de wieg stond het jeugdboek 'Dan kleurt het water rood' van Sine van Mol. In samenwerking met Adzon vzw schreef ze het verhaal over Tom, die door zijn veel oudere 'vriend' Dave misbruikt wordt. Omdat Dave ook vriend aan huis is, lijkt er geen enkel probleem te zijn. Uiteindelijk komt Tom in de prostitutie terecht.

Bij het verschijnen van dit boek werd nog sterker de nood aangevoeld om een didactisch aanbod over kindermishandeling te ontwikkelen. Snel werd duidelijk dat diepe, persoonlijke vragen van kinderen maar aan bod kunnen komen binnen een vertrouwd kader. Daarom de keuze voor een boekje voor de begeleiders in plaats van een werkmap voor de kinderen. Uiteindelijk gaat het om een stijl van omgaan met mekaar.
Deze 'Ommekeer, ommekaar' geeft richting om in groepsverband een klimaat te scheppen waardoor gevoelens, geheimpjes, vreugde en pijn, denken en zoeken... bespreekbaar worden. Het draait om een basishouding die toelaat vele vormen van sociale en andere kwetsuren op het spoor te komen en soms zelf bespreekbaar te maken.

Een gedreven team sloeg de handen in elkaar. Bij het begin van dit project konden ze waarschijnlijk niet vermoeden welk engagement ze op zich hadden genomen, maar iedereen had voldoende ervaring om de uitdaging tot een goed einde te brengen. De verscheidenheid van de medewerkers bleek een interessant uitgangspunt en was één van de troeven die het boek tot een volwaardig educatief aanbod liet evolueren.

'Ommekeer, Ommekaar' is een waardevolle uitgave binnen het ruimere preventiepakket van Adzon vzw en de solidariteitsactie Welzijnszorg vzw. We hopen dat U, leerkracht, vormingswerker, jeugdbegeleider, opvoeder, moeder of vader, van dit boek gebruik zal maken. Laat het een gids zijn voor uw gevoelswereld en die van uw kinderen, laat het een uitnodiging zijn om op een positieve wijze om te gaan met de complexe gevoelswereld van kinderen.

Herwig Teugels,　　　*Guy Malfait,*　　　*Andre Kiekens*
directeur Adzon vzw.　*medewerker Adzon vzw*　*solidariteitsactie WZZ vzw*

Inleiding

We hebben als auteursteam een hele weg afgelegd. Overtuigd van het belang van deze handreiking voor leerkrachten en jeugdwerkers hebben we de tijd genomen om ons eerst goed te informeren. Pas daarna lieten we ons uitdagen om op zoek te gaan naar de meest zinvolle piste om het thema 'kindermishandeling en seksueel misbruik' bespreekbaar te maken in een klas- of jongerengroep.

Een taboe doorbreken is altijd een gedurfde onderneming: je begeeft je noodgedwongen op glad ijs en de kans om dan onderuit te gaan is aanzienlijk.

Bewust van de vele risico's hebben we gekozen voor een aanpak die zeker niet shockerend wil zijn. Het zijn de kinderen - en vooral de gekwetste kinderen - die we aan het woord willen laten. Dit boek werd voor hen geschreven. Samen met hen en via een brede waaier van activiteiten willen we werken aan een ommekeer: door een groot geheim of taboe, nl. (seksuele) geweldpleging tegen kinderen bespreekbaar te maken, door toe te laten dat kinderen praten over wat hen pijn doet en in verwarring brengt, door de menselijke seksualiteit positief te benaderen, door tussen de regels te pleiten voor een andere aanpak van de slachtoffers van seksueel misbruik.

Met dit boek nemen we je mee op een avontuurlijke tocht waar je niet onvoorbereid aan kunt beginnen. Daarom raden we je aan om je rol als leerkracht of begeleider goed af te bakenen. Je moet weten waar je naartoe wil, hoever je wil/kunt gaan en wat je taak is. Leg de lat van je doelstellingen in geen geval te hoog: als gevoelens bespreekbaar mogen worden, heb je al veel bereikt.

Om welbepaalde redenen nemen we afstand van een aanpak die mikt op het meer assertief en weerbaar maken van de (mogelijke) slachtoffers.

De praktijk wijst namelijk uit dat veruit de meeste kinderen thuis, in hun vertrouwde omgeving (en dus niet door een gore, vieze man op de straat), worden mishandeld of misbruikt. Laatstgenoemde aanpak biedt in die omstandigheden nagenoeg nooit een uitweg, integendeel. In fysiek opzicht staat een kind altijd zwak tegenover een volwassene. Als het zich weert, loopt het meteen een veel grotere kans op letsels en verwondingen.

Vergeten we bovendien niet dat als de geweldpleging uitgaat van de vader of van een ander gezinslid, het kind verzeild raakt in een bijzonder verwarrende situatie: de oorspronkelijke vertrouwensband en het respect zit vaak dieper dan gedacht en verhindert dat het kind wantrouwig wordt en afwijzend zal reageren.

Lopen kinderen ten gevolge van mishandeling een trauma op dan gaat het er vooral om deze kinderen zo goed mogelijk bij te staan bij het verwerken en plaatsen van deze ambivalente ervaringen.

Door de problematiek bespreekbaar te maken en door onze luisterbereidheid bekend te maken in een bepaalde groep, hopen we dat er een positieve en preventieve bijdrage wordt geleverd. Door kinderen de weg te wijzen naar een betrouwbare gesprekspartner slaan we de weg in van een 'doeltreffende ommekeer'.

Wie te maken krijgt met slachtoffers van kindermishandeling, incest of seksueel misbruik stoot meestal op een complexe problematiek binnen een gezin. Dit soort gezinsproblemen laat zich niet zo eenvoudig oplossen. Er is veel tijd, tact en geduld nodig om vastgelopen situaties te keren. Zonder een zekere vertrouwensband, een minimum aan luisterbereidheid of dialoog, valt er weinig te ondernemen.

Leerkrachten of jeugdbegeleiders moeten zich niet in het strijdtoneel werpen als heldhaftige ridders. Wat ze in elk geval wel moeten en kunnen doen, is zich aanbieden als iemand die problemen herkent, als iemand die wil luisteren en die desgewenst kan doorverwijzen naar echte hulpverleners. Onze rol blijft bij voorkeur beperkt tot deze 'ondersteunende verwijsfunktie'.

Een openhartig gesprek met de ouders zou natuurlijk ideaal zijn, al blijft dit in de meeste gevallen een bijzonder teer punt.

Loop als leerkracht of begeleider in geen geval je eigen mogelijkheden of draagkracht voorbij. Wees zeker niet doof of blind voor de signalen die kinderen uitzenden. Deze directe of indirecte boodschappen begrijpen we best als een niet te onderschatten noodkreet. Niemand zal betwisten dat we deze gekwetste en kwetsbare kinderen nooit aan hun lot mogen overlaten in de hoop dat anderen, die beter geplaatst zijn dan wijzelf, iets zullen ondernemen.

Dit boek wijst een uitgeprobeerde weg aan. Wij hopen dat kinderen er baat bij vinden. Al bieden we een project aan dat ogenschijnlijk slechts enkele middagen in beslag neemt, toch kan je via verschillende suggesties genoeg inspiratie opdoen om er een heel schooljaar uit te putten. De basishouding die de voorgestelde methodieken vragen van zowel de leerkracht/begeleider als van de groep, vraagt trouwens om een duurzame aanpak. Een volgehouden inspanning is nodig om de juiste sfeer, de juiste manier van praten en luisteren, de vereiste openheid los te weken of te verkrijgen. Talrijke impulsen en werkvormen (vb. poëzie beluisteren, vertrouwensspelen, lichaamsspelen,...) lenen zich er zonder probleem toe om ook op andere ogenblikken aangewend te worden.

De gepresenteerde methodieken en lessuggesties zijn bruikbaar voor kinderen vanaf 9 jaar.

De preventieve waarde van dit project komt hier op neer :

- kinderen die seksualiteit op een positieve manier ingekleurd krijgen (en zelf inkleuren!) of die tijdig lucht kunnen geven aan hun problematiek van mishandeling en/of prostitutie - wat vnl. een grootstedelijk probleem is - raken minder gauw in een doodlopende steeg: de kans dat ze voor lange tijd of definitief gebukt blijven gaan onder de gestelde problemen (vb. door zelf daders te worden) wordt veel beperkter.

- De ervaring leert dat (gekwetste) jongeren vanaf de leeftijd van 13 jaar een grotere kans lopen om in de wereld van de prostitutie terecht te komen: daarom willen we ons in elk geval richten tot een jongere doel-groep. Dit moet dan wel gebeuren op een manier die de andere klasgenootjes niet brutaal confronteert met een hen onbekend - en ook wel shockerend - probleem.

- Kinderen die zich in de zogenaamde 'latentiefaze' bevinden (seks op zich interesseert hen niet echt) hebben meer nood aan het bespreekbaar maken van gevoelens: een methode die dat aanleert of stimuleert, werpt vruchten af bij elk kind.

- Het bespreekbaar maken van allerlei (onderhuidse) problemen stelt ons in staat om bij kinderen en hun ouders een gezondmakend verwerkings- of genezingsproces op gang te brengen. Leerkrachten of begeleiders zijn in dit geval geen dokters; we zijn wel bezorgde verwanten of ver-pleegkundigen die op hun manier een bijdrage leveren (door te sig-naleren, door te spreken en te luisteren maar niet te oordelen, door begrip te tonen en onze hulp aan te bieden, door te verwijzen).

Achteraan in het boek vind je een dubbele literatuurlijst : de ene bevat een hele reeks kinder- en jeugdboeken die de gestelde problematiek aankaarten; de andere lijst biedt een uitweg voor wie nood heeft aan meer achtergrondinformatie. De informatie die je daar vindt, hebben we hier niet willen herhalen.

De vertrouwenartscentra

In de dagelijkse praktijk en vooral wanneer men regelmatig met dit boek werkt kan het gebeuren dat men met kindermishandeling in aanraking komt. We mogen niet doof of blind zijn voor het lijden van de kinderen en moeten openstaan voor signalen die ze geven. Mogelijke signalen zijn: schoolproblemen, ontwikkelingsachterstand, triestheid, agressie, seksueel ongedifferentieerd zijn, overdreven wantrouwen, laag zelfbeeld en/of lichamelijke letsels.

Vaak worden deze signalen genegeerd uit angst, morele bezwaren en tijdsgebrek. Men denkt ook dat wanneer men ingaat op het lijden van de kinderen, men als een soort "gendarme" optreedt. Men vergeet dan dat die kinderen en hun gezin vooral hulp behoeven terwijl solidariteit met de problemen van deze gezinnen vaak zoek is. Wanneer men open staat voor hulp aan lijdende kinderen - en daarbij in acht neemt dat de ouders voor deze kinderen een belangrijke plaats innemen, worden de bezwaren om hulp te bieden al een beetje geminimaliseerd. Uiteraard primeert de veiligheid van het kind, maar vaak gaat men door als "ridder op het witte paard" te handelen, meer ruiten ingooien dan wonden helen. Ga daarom NOOIT alleen te werk, en neem de wensen van het kind in acht. Naast de directeur is de schoolarts, -verpleger of het PMS-personeel vaak een goede hulp of raadgever. Ouders kunnen namelijk benaderd worden via de schoolproblemen of medische problemen die hun kinderen soms vertonen. Dit is een manier om een opening te maken naar de vele problemen die deze gezinnen hebben. Elk kind, elk gezin is natuurlijk steeds uniek. Een gestandaardiseerd "stappenplan" is dus niet echt werkbaar. Een zeer goede leidraad is de brochure "kindermishandeling, wat moet de school daarmee" van het Vertrouwensartscentrum te Gent. Aarzel niet om contact op te nemen met het VAC van uw regio voor advies, overleg of concrete hulp.

Achteraan in de brochure vindt u een lijst met adressen en telefoonnummers.

Ik voel. Jij voelt... Wij hebben gevoelens

Stilstaan bij en praten over gevoelens is voor heel wat kinderen en volwassenen een wat onbekend terrein. Toch zijn net onze gevoelens de instrumenten bij uitstek om een situatie te beoordelen en te bepalen hoe we ermee omgaan. Wanneer we weten wat gevoelens ons willen zeggen, beschikken we over een uitstekende barometer die ons veel leert en die ten allen tijde kan gebruikt worden.

Iedereen die te maken heeft met de opvoeding van kinderen of jongeren kent de waarde van gevoelens. Toch wordt er in onze samenleving en in ons onderwijs weinig aandacht aan geschonken.

Wij zijn ervan overtuigd dat stilstaan bij de eigen gevoelens het noodzakelijke tegenwicht vormt voor deze drukke, impulsrijke samenleving. Herkennen en erkennen van gevoelens leidt tot verbondenheid met jezelf. Je komt op die manier dichter bij je eigen lichaam waardoor je vlugger aanvoelt of datgene wat je overkomt, goed is.

Werkvormen

Gevoelens herkennen en erkennen is iets wat je moet leren. Het is een groeiproces, een nieuwe manier van denken en van omgaan met mensen en dingen.

Dit groeiproces ontstaat en gedijt enkel in een sfeer van vertrouwen. Om die sfeer te creëren, bieden wij in dit boek een aantal werkvormen aan om gedurende het hele werkjaar te gebruiken.

In de eindtermen krijgen relationele en emotionele opvoeding aandacht, in de derde graad van het basisonderwijs en het eerste jaar van het secundair onderwijs komt seksuele opvoeding expliciet aan bod. Het creatief gebruik maken van de aangeboden werkvormen zal zeker een goede voorbereiding zijn op en een instap voor deze lessenreeks.

Deel I

Vertrouwenspelletjes

Met deze werkvorm laten we de kinderen wennen aan lichamelijk contact met leeftijdsgenoten. Het resultaat dat we beogen, kan enkel gerealiseerd worden in een groep waar gewerkt wordt aan vertrouwen.
De jongeren krijgen op een speelse manier vertrouwen in zichzelf en in de anderen; de leerkracht is ook groepslid en deelnemer.

1. Aandachtspunten

- Je mag kinderen niet dwingen om mee te doen. Laat hen rustig de tijd: geef hen de mogelijkheid om pas mee te doen nadat ze gezien hebben hoe de spelletjes werken of hoe leuk ze zijn.
- Uit het ruime aanbod van spelletjes kan iedereen een eigen keuze maken.
- Denk aan de veiligheid. Raadpleeg eventueel de turnleerkracht, ook al staan deze spelletjes los van de turnlessen.

2. Spelletjes

2. 1. Vertrouwen in je eigen lichaam

Je maakt een hindernissenbaan in de turnzaal of in het bos. De opbouw van de baan hangt af van het beschikbare materiaal.
In het bos komt een omgewaaide of omgehakte boom goed van pas.
Enkele voorbeelden voor de opbouw in een zaal:

- lopen op een Zweedse bank schuin tegen het klimrek;
- lopen op een Zweedse bank tussen twee springkasten (dit wordt dan een brug);
- van op een bepaalde hoogte van het klimrek op een dikke valmat springen;
- over een evenwichtsbalk gaan;

- onder laag gespannen touwen doorkruipen;
- aan een klimtouw slingeren over een bepaalde afstand;
- over een op de hoogste stand geplaatst paard klimmen;
- enz.

Dit parcours moet individueel en foutloos uitgevoerd worden.

2. 2. Vertrouwen in de partner

- Dezelfde hindernissen als hierboven beschreven worden nu foutloos met een partner genomen. Je kunt de opdrachten ook aanpassen: elkaar een hand geven en ze niet loslaten; één van beide partners legt het parcours ruggelings af terwijl de andere helpt.

- Houd elkaar in evenwicht: twee kinderen staan recht tegenover elkaar. Met hun handpalmen stevig tegen elkaar doen ze één stap, twee stappen,... achterwaarts en leunen dan voorover, zodat ze elkaar in evenwicht houden. (Ze moeten er wel voor zorgen dat hun voeten stevig op de vloer staan zodat ze niet uitglijden. Sommige kinderen beginnen deze oefening liever op de knieën.)

- Duw elkaar in evenwicht: ongeveer dezelfde oefening als de vorige. Nu geef je de kinderen de opdracht om weer in evenwicht te komen door zich af te duwen zonder hun voeten te verplaatsen. Deze oefening kan ook vanuit kniezit: de kinderen duwen zich dan weer tot rechtstand.

- *Optrekoefening*: de partners knielen tegenover elkaar, nemen elkaars armen vast en buigen achterwaarts. Nu staan ze tegelijk op. (Pas op voor de knieën!)

- *Ruggesteun*: de kinderen zitten rug tegen rug, met de gebogen benen en ineengehaakte armen. Vanuit die positie proberen ze samen op te staan.

- *Draaioefening*: de kinderen zitten zoals in de vorige oefening. Door zich tegen elkaar af te zetten, komen ze half rechtop. Terwijl ze nog steeds tegen elkaar leunen om in evenwicht te blijven, draaien of rollen ze tot ze met hun gezicht naar elkaar toe tegen elkaar leunen.

- *Geleid worden*: één van de kinderen is geblinddoekt. De partner leidt hem/haar veilig langs hindernissen: over banken, onder touw, enz. Deze oefening heeft verschillende variaties: geleid worden door mondelinge aanwijzingen, door mondelinge aanwijzingen en bij de hand, alleen bij de hand zonder mondelinge aanwijzingen.

2. 3. Vertrouwen in de groep

- *Optrekoefening*: begin met dezelfde oefening als in nr. 2.2. Als de kinderen de oefening per twee kunnen, knielen ze naast elkaar, tegenover een ander paar. De vier spelers grijpen elkaar bij de arm en proberen samen op te staan. Als het lukt, gaat het spel verder met acht, enz...

- *Ruggesteun*: begin met dezelfde oefening als in nr. 2.2. Als de kinderen met z'n tweeën kunnen opstaan, laat je ze met z'n vieren proberen. Twee paartjes gaan rug tegen rug zitten, met gebogen benen en ineengehaakte armen, en duwen elkaar op. Als dit lukt, proberen ze het opnieuw met achten, enz...

- *Op vrienden kun je leunen:* de kinderen gaan in groepjes van acht tot tien hand in hand in een kring staan. Ze krijgen afwisselend het nummer één of twee. Stijf als een plank en met de voeten stevig op de grond buigen alle nummers één naar voren terwijl de nummers twee naar achteren buigen, zodat ze elkaar in evenwicht houden.
Als ze hun evenwicht hebben gevonden, vraag je hen om de posities om te wisselen. De nummers één buigen dan naar achteren, de nummers twee naar voren.
Kunnen ze heen en weer schommelen?

- *Bij elkaar op schoot:* de kinderen gaan met een tussenruimte van een halve stap achter elkaar in een kring staan. Als je tot drie telt, nemen ze elkaar bij het middel vast, buigen door hun knieën en gaan zitten op de schoot van de speler achter hen.
Nu eens kijken of ze samen vooruit geraken : "Links, rechts, links, rechts!"
Voor de grote finale roep je : "Sta op, draai, zit en stap".

- *Rollend tapijt*: de kinderen gaan naast elkaar op de vloer liggen en vormen een tapijt. Het tweede kind ligt met de voeten naast het hoofd van het eerste kind, het derde kind met het hoofd naast de voeten van het tweede, enz. Een kind gaat op het tapijt liggen. Hij/zij wordt voortbewogen doordat het tapijt begint te rollen: alle kinderen draaien zich tegelijk rustig om en om, totdat het kind aan de andere kant van het tapijt op de grond rolt.

- *Buiklachen*: iedereen ligt op zijn/haar rug, met het hoofd op de buik van een ander. Eén kind zegt "ha". Het volgende zegt: "ha, ha". Het derde zegt: "ha, ha, ha", enz. Daverend gelach is het resultaat: lachen om te lachen.

- *Menselijke steunpilaar*: twee of vier kinderen houden een rekstok omhoog terwijl een ander kind zich hieraan optrekt, erover klimt of eraan gaat hangen. De kinderen houden de rekstok zo vast dat de acrobaat er gemakkelijk op en af kan klimmen.

- *Ladderwandelen*: de kinderen gaan aan weerskanten van een stevige ladder, bank of plank staan en houden die op kniehoogte met gestrekte armen vast. Om te beginnen blijft de ene kant van de ladder op de grond staan zodat de wandelaar er kan opstappen of kruipen. Daarna wordt de ladder voorzichtig horizontaal gehouden en loopt of kruipt de wandelaar erover. Als hij/zij de andere kant heeft bereikt, laten de dragers de ladder weer zakken zodat hij/zij er kan afstappen.

- *Plankdragen*: een kind ligt stokstijf zoals een plank. Vier anderen dragen deze 'plank' op een veilige manier een eind verder.

- *Vriendenkring*: je valt letterlijk in de handen van je vrienden, die ervoor zorgen dat je niet omvalt. Ongeveer acht kinderen gaan op hun knieën zitten (of staan rechtop) en vormen schouder tegen schouder een nauwe kring. Diegene die in het midden van de kring op z'n knieën zit of rechtop staat, houdt zijn lichaam stijf met de armen tegen zijn/haar lichaam 'geplakt' en laat zich naar alle kanten vallen. Hij/zij wordt aangemoedigd om de knieën of voeten niet te verplaatsen.

- *Samengepakt*: een groep kinderen staat samen op een deken of doek. Gaandeweg wordt de doek kleiner en kleiner gemaakt. De kinderen zorgen ervoor dat ze er telkens met z'n allen op kunnen staan.

- *Knuffeltikkertje*: dit is een variatie op 'gewoon' tikkertje. Een kind kan niet worden getikt als hij/zij snel een ander kind omhelst. Om de kinderen meer te laten samenwerken, kun je hen bv. voorstellen dat ze alleen veilig zijn als ze elkaar met z'n drieën, vieren of met z'n vijven omhelzen.

- *Menselijke knoop*: ongeveer tien kinderen staan in een kring, strekken hun armen naar voren en pakken de handen van twee andere, willekeurige kinderen vast die niet vlak naast hen staan. Daarna probeert de groep samen de knoop te ontwarren zonder elkaars handen los te laten.

- *Piramide*: alle kinderen trachten samen een zo mooi mogelijke piramide te maken.
Variaties: ze maken een piramide met x aantal voeten op de grond;

ze maken een piramide met x aantal handen en x aantal voeten op de grond; ...

- Zoek je partner: de kinderen gaan hand in hand in een kring staan. Ze laten de handen los en gaan 2 passen achteruit. Iedereen wordt geblinddoekt en blijft ter plaatse staan. Je fluistert nu het cijfer 1 bij het eerste kind in het oor, 2 bij het volgende, enz. Bij de tweede helft van de groep begin je opnieuw met 1, 2,...
De kinderen gaan op handen en knieën op zoek naar hun partner (1 zoekt 1, 2 zoekt 2,...). Op een bepaald teken kruipen ze naar het midden. Als ze iemand tegenkomen, fluisteren zij hun cijfer in elkaars oor. Als de cijfers dezelfde zijn, staan zij op. Anders kietelen ze elkaar en kruipen verder.

Deel II

Over sommige geheimen moet je praten!

1. Verschillende soorten geheimen

In dit gedeelte leren de kinderen het onderscheid maken tussen verschillende soorten 'geheimen'. Ze leren het verschil maken tussen geheimen die ze rustig geheim kunnen houden en geheimen waarbij ze zich niet goed voelen en waarover ze best wel kunnen praten.

1.1. Werkwijze:

Elk kind heeft een blaadje met een tekstfragment. De tekst komt uit *Dan kleurt het water rood* van Sine van Mol. Lees dit boek zelf. Het verhaal van Tom leert je als volwassene beter de gevoelens te begrijpen van kinderen die het slachtoffer zijn van seksuele mishandeling.

Als de kinderen het verhaal kennen of het boek hebben gelezen, herkennen ze het fragment waarschijnlijk. Het is niet nodig dat je de inhoud van het boek vertelt, omdat dit de kinderen in een bepaalde richting zou sturen. Ter informatie vertel je dat de klas van meester Geert een spel speelt waarbij elk kind om beurt met een dobbelsteen moet gooien. Wanneer het kind op een figuur terechtkomt, moet hij/zij een opdracht doen. (Het is dus een soort ganzenbord). In het fragment gooit Linne en komt ze op een hart. Zij krijgt een opdracht. Naar het einde toe is het fragment voldoende 'geheimzinnig' om de nieuwsgierigheid en waakzaamheid van de kinderen op te roepen.

Tekstfragment:

> *Een paar kinderen gooiden een cijfer.*
> *Linne kwam op een hart. Zij mocht een leuk geheim vertellen.*
> *"Toen mijn moeder jarig was, hadden wij een groot pak verstopt. Ze wist er niets van!"*
> *"Wat zat er in?" wilde Sofie weten.*
> *"Een schildersezel."*
> *"Hoe lang heeft jullie geheim geduurd?" vroeg de meester.*
> *"Drie dagen."*
> *"Een leuk geheim duurt nooit lang. Als je cadeaus krijgt of bedreigd wordt om een geheim te bewaren, is dat een slecht teken. Dan moet je er met iemand over praten," zei meester Geert.*
> *Tom was heel stil. Hij gooide en kwam op een cijfer.*

De kinderen gaan met het tekstfragment in kleine groepjes zitten. Ze lezen de tekst en praten er even over. Dan geef je ze de opdracht een vraag te formuleren bij de tekst.
Iemand uit de groep schrijft deze vraag op het bord. Hij/zij schrijft ook de namen van de groepsleden erbij.
Wanneer alle vragen op het bord staan, wordt er één vraag gekozen die met de hele groep zal besproken worden. Het kiezen van de vraag kan door loting of stemming...

1.2. Praktijkvoorbeeld

Om het verloop van dit soort gesprekken duidelijk te maken, volgt hier het verslag van het gesprek in mijn zesde klas.
De kinderen waren niet vertrouwd met het boek, ze kenden het verhaal niet. Ze zijn wel vertrouwd met dit soort gesprekken omdat ik sinds kort af en toe *filosofische gesprekken*[1] organiseer. Zo voerden we eerder al een gesprek over 'blij zijn' en één over 'Hoe is alles wat bestaat, ontstaan?' Het eerste gesprek ontstond uit een vraag bij een tekening, bij het tweede gesprek werd een vraag geformuleerd na het beantwoorden van een vragenlijst.
Het is niet noodzakelijk dat je als lesgever vertrouwd bent met *filosoferen met kinderen*[1]. Het gaat meer om respectvol omgaan met kinderen en met een onderwerp dan om het filosofisch gesprek op zich. Misschien lijkt het jou beter om vooraf andere korte kringgesprekken (of filosofische gesprekken) te houden. Onderwerpen kunnen dan zijn: Blij zijn... Elkaar vertellen wat vertrouwen is... Hoe verliefdheid aanvoelt... Praten over verdriet...

---

1 In het filosofische gesprek leren kinderen en jongeren redeneren, naar elkaar luisteren en op elkaar inspelen. Binnen de dialoog in de groep wordt hun denken gestimuleerd.
Filosoferen leidt niet tot het verwerven van kennis of concrete vaardigheden. Het is ook niet de bedoeling dat er een eenduidig antwoord geformuleerd wordt, ook al bestaat dat.
Filosoferen is een aparte groepsactiviteit die in de jeugdbeweging en binnen verschillende vakgebieden van het onderwijs gebruikt kan worden.

Naar vraag en antwoord zoeken, zijn slechts middelen om stil te staan bij een thema waardoor denkprocessen op gang gebracht worden.

Omdat de kinderen weer in een kring zitten en het donderdagnamiddag is (dus: spreekles), voelen ze als vanzelfsprekend aan dat dit gesprek er 'ook zo één' is.

In deze klas zit een kind waarvan ik vermoed dat er iets ongewoons aan de hand is. Door het vanzelfsprekende van het filosofische gesprek wordt het klimaat in de klas veiliger voor kinderen die misschien slachtoffer zijn van (seksueel) geweld. "Er is niets ongewoons aan de hand, de juf is niets te weten gekomen, mijn geheim is nog altijd veilig." Het kind kan veilig aftasten of het iets zegt of niet. Ik let er in het bijzonder op dat het kind zich veilig en 'onbespied' weet. Ik wik en weeg mijn gedachten en mijn woorden. Ik ben absoluut niet van plan om te zielepeuteren. Ik zou graag hebben dat het kind te weten komt dat het, door wat ze ervaart, eigenlijk normaal is dat haar gevoelens verward zijn, dat ze ontdekt dat ze niet de enige is die zoiets overkomt; dat wat gebeurt, niet goed is; dat het kind geen schuld draagt; dat de verantwoordelijkheid bij de volwassene ligt; dat ze in de klasgroep niet hoeft te laten merken dat er thuis iets aan de hand is, maar dat ze toch wel ergens terecht kan wanneer ze zich in het nauw gedreven voelt en schijnbaar geen kant op kan.
Ik zou bovendien graag meegeven aan al de kinderen in de groep dat ZIJ later ZELF kunnen bepalen hoe ze hun kinderen opvoeden! Daarom moeten ze nu al kritisch kunnen staan tegenover de volwassenen die met hen omgaan. Als er met hen iets gebeurt dat zij nu zelf niet prettig vinden, moeten ze dat later voor hun kinderen trachten te voorkomen! Ze zijn best wel in staat om te beoordelen wat ze later niet willen dat hun kinderen overkomt! Later kunnen ze teruggrijpen naar hoe zij zich voelden bij bepaalde voorvallen uit hun kindertijd. Misschien lukt het wel om preventief te werken bij kindermishandeling! Ik geloof in het omgaan met kinderen vanuit een pedagogisch bewustzijn, waarbij je als leerkracht het denken van de kinderen prikkelt zodat die prikkels een eigen leven kunnen gaan leiden.

Het gesprek verloopt veel minder moeilijk dan ik dacht. De kinderen helpen mij en elkaar. Zij praten gemakkelijker met leeftijdsgenootjes over hun situatie dan met volwassenen.
Daarom probeer ik het gesprek 'zachtjes' te begeleiden, eerder als moderator dan als deelnemer.
Als de kinderen weten dat ze alles kunnen vertellen wat in hen opkomt, beginnen ze na te denken over wat ze zeggen, al weten, of al ervaren hebben. Bij filosofische gesprekken is het niet de rol van de leraar om informatie te verstrekken of de 'juiste' mening of interpretatie geven. Het is zeker niet de bedoeling om pasklare antwoorden te formuleren.
In een filosofisch gesprek worden ook vaak heel wat ogenschijnlijk

onbelangrijke opmerkingen gemaakt. Het heeft evenwel volstrekt geen zin om deze zogezegde dwaalwegen direct om te buigen naar wat jij als leraar wilt bereiken.

Niet alle kinderen zeggen iets tijdens het gesprek.
Kinderen met zorgen en narigheid spreken waarschijnlijk liever niet in de klasgroep.
Dat is niet erg. Een kind dat niets zegt maar luistert naar leeftijdsgenoten komt een heleboel te weten, en het selecteert ongetwijfeld.
Het leert zijn klasgenoten op een andere manier kennen, of het leert dat er nog kinderen zijn met een speciaal geheim. Dat op zich is al een enorme steun! Want het kind denkt meestal dat hij/zij de enige is met dit geheim en daardoor voelt het zich alleen.
Een regel bij filosofische gesprekken is: 'IEDEREEN HEEFT HET RECHT OM TE SPREKEN EN IEDEREEN HEEFT HET RECHT BELUISTERD TE WORDEN'. De kinderen kennen die regel en hebben er respect voor. Ze vinden deze regel 'indrukwekkend'.
Ik verwacht ook niet dat een kind dat mishandeld wordt, zal spreken. Ik merk wel dat het kind niet gemakkelijk zit in de groep. Daarom laat ik het rustig luisteren en geef het zo de tijd om eventueel zijn verwarring te verbergen. Het is ook volstrekt logisch dat het kind niet te koop loopt met zorgen en narigheid, zeker niet als deze narigheid te maken heeft met een situatie thuis waarvoor het zich misschien schaamt of die het in verwarring brengt. Kinderen willen hun ouders ook niet afvallen! En de verwarring voor zo'n kind, is groot. Enerzijds is hetgeen gebeurt afschuwelijk,

anderzijds is er ook de band met de vader of andere bekende waardoor het kind met een loyaliteitsconflict zit. Dit maakt het doorbreken van het geheim extra moeilijk.

Wat de kinderen meenemen uit zo'n gesprek weet je uiteraard nooit. De kinderen luisteren selectief en pikken mee wat voor hun wereld nodig is. Seksueel misbruik van een kind in een gezin begint vaak op een heel subtiele manier. Het kind zal langzaam tot de ontdekking komen dat wat gebeurt, niet goed is. Dit gevoel kan nog versterkt worden door de geheimzinnige sfeer die er rond hangt. De situatie waarin het kind is terechtgekomen wordt bepaald door allerlei ambivalente gevoelens. Het spreekt dus vanzelf dat zo'n kind niet geforceerd mag worden om iets te zeggen. Dit gesprek heeft bovendien geenszins de bedoeling om maar voor 'enkele' kinderen van belang te zijn. In dit soort gesprekken ondervinden alle kinderen hoe prettig het is dat er naar hen geluisterd wordt en dat het kan dat ze zomaar wat vertellen. Ze leren dat ze zelfstandig kunnen nadenken; ze leren dat ze zelf kunnen beslissen of ze iets zeggen of niet; ze leren dat hun inbreng belangrijk is.

De vragen die in de verschillende groepjes geformuleerd worden zijn:

Eerste groep: Waarom is Tom zo stil?

Tweede groep: Waarom moet je geheimen verder vertellen? Dan zijn het geen geheimen meer!

Derde groep: Waarom is het goed om met iemand te praten over dat geheim?

Vierde groep: Als Tom op het hart was gekomen, zou hij dan een geheim verteld hebben?

De vraag die met een meerderheid van stemmen gekozen en daarom besproken wordt, is de vraag van groep twee: Waarom moet je geheimen verder vertellen? Dan zijn het geen geheimen meer!

Tijdens het gesprek schrijf ik de verschillende argumenten op het bord, met de naam van het kind erbij. Zo kom je tot een mooie compilatie van wat gezegd wordt. Doordat hun naam op het bord komt, beseffen de kinderen dat hun inbreng belangrijk is, maar ook dat ze zich bewust moeten zijn van wat ze prijsgeven. Gedachten, ervaringen... uit hun wereld selectief prijsgeven aan de buitenwereld is ook een sociale vaardigheid die ze moeten oefenen.

Bij het begin van het gesprek verduidelijken de kinderen van groep twee de vraag.

Dan wordt het terrein 'geheim' afgetast: wat is een geheim en hoe ga je er mee om? De kinderen komen tot de conclusie dat een geheim iets is dat je niet zomaar vertelt tegen om het even wie. Er zijn bovendien geheimen die je altijd voor jezelf houdt (vb: -tegenover hun ouders- dat ze wijn gedronken of sigaretten gerookt hebben op kamp). Er zijn geheimen die je met enkele mensen deelt en niet verder vertelt (bv. als je de lotto wint, waar je je kamp gemaakt hebt, waar je je geheime plekje hebt).

Ik besluit dieper in te gaan op geheimen die ze misschien niet durven te vertellen, maar die ze toch beter wel met iemand bespreken.

Joris zegt: "Wanneer je weet dat een kind mishandeld wordt, moet je het wel verder vertellen."

Nog andere voorbeelden volgen: bij ziekte, bv. aids, astma, epilepsie of diabetes is het beter dat je er geen geheim van maakt. Of wanneer je bv. een spiegel hebt gebroken, kun je het beter onmiddellijk aan je ouders zeggen, omdat je er dan vlug 'vanaf' bent.

Ik breng het gesprek weer bij de inbreng van Joris. Ik vraag of iedereen akkoord gaat met wat hij zei. Ik vraag hen dat te argumenteren.

Stef zegt: "Je moet je niet laten mishandelen! De anderen mogen met jou niet doen wat ze willen!"

Jan zegt: "Dat is wel waar, maar wat moet je doen als die andere persoon groter, sterker en ouder is?"

Debbie zegt: "Je moet het dan wel verder vertellen, maar ik vind niet dat dat een geheim is. Een geheim mag je niet verder vertellen maar als het een probleem is, vertel je het best wel."

Ik vraag Debbie of ze zou kunnen stellen dat een geheim waarbij je je niet goed voelt, zo'n probleem is om wel verder te zeggen.

Siggy en de rest van de klas gaan hiermee akkoord: "Hé, ja!"

Joris merkt nog op: "Als je het dan niet echt wil verderzeggen, kun je ook nog de Kindertelefoon bellen! Dan blijft je geheim een geheim en je moet zelfs je naam niet zeggen."

Hier besluit ik het gesprek te beëindigen.

OP HET BORD STAAT:

- *Een geheim is iets dat je niet zomaar verder vertelt tegen om het even wie. (Maaike)*
- *Er zijn geheimen die je altijd voor jezelf houdt. (Eva)*
- *Er zijn geheimen die je met enkele mensen deelt en niet verder vertelt. (Glenn)*
- *Er zijn geheimen waarover je beter wel spreekt:*
    - *bij ziekte (aids, astma, epilepsie, diabetes) (Tom, Elke Stien)*
    - *wanneer je iets uitgespookt hebt (de spiegel stuk) (Els)*
    - *wanneer je weet dat een kind mishandeld wordt (Joris)*
- *Je moet je niet laten mishandelen! Anderen mogen met jou niet doen wat ze willen. (Stef)*
- *Een geheim vertel je niet verder, een probleem wel. Een probleem is een geheim waarbij je een nee-gevoel krijgt. (Debbie)*
- *Je kunt met een probleem altijd terecht bij de Kindertelefoon. (Joris)*

Na afloop van het gesprek geven de kinderen commentaar. Eva zegt: "Ik vond dat gesprek van 'blij zijn' toch veel beter!"
Stien zegt: "Ik ga eens bellen met de Kindertelefoon."
Ik vraag aan Joris of hij het telefoonnummer van de Kindertelefoon kent. Hij belooft om het op te zoeken.
Ik vind de opmerkingen na het gesprek heel welkom. Op deze manier wordt het gesprek meteen geplaatst als 'een klasgesprek, een spreekoefening' waardoor het nog veiliger wordt voor kinderen met problemen.
Het kind waarnaar mijn bezorgdheid uitgaat, heeft zich gedurende het hele gesprek zo onopvallend mogelijk gedragen. Het leek alsof het een schutkleur aannam. Maar ook al zweeg ze: haar zwijgen, haar manier van doen was veelzeggend. Ik merkte aan het 'onopvallende' flitsende rond-kijken dat ze al het mogelijke deed om niet op te vallen. Naarmate het gesprek vorderde en duidelijk werd dat ze niets moest zeggen, werd ze rustiger. Maar de spanning die ik bij haar opmerkte, toonde mij een bedreigd kind. En ik hoop dat ik haar voldoende help door discreet en respectvol met haar om te gaan. Ik hoop dat ze in de klas een eilandje van rust kan vinden, zonder gedwongen aanpassing aan een grillige en onredelijk eisende omgeving. Ik hoop dat ik haar voldoende signalen kan geven, zodat zij een mogelijke strategie kan bepalen.

Deel III

Over sommige problemen moet je praten!

Heb je problemen, zoek dan iemand die je vertrouwt en praat erover.

Praktijkvoorbeeld

1. Inleiding

Uiteraard sluit dit gesprek aan bij wat voorafging en hangt de inleiding daarvan af.
Ik schrijf uit het vorige gesprek drie uitspraken van de kinderen op het bord en vraag hen of ze nog iets willen opmerken. Joris heeft 20 briefjes

klaargemaakt met het adres en het telefoonnummer van de Kinder- en Jongerentelefoon. Nog twee andere kinderen hebben het nummer opgezocht en meegebracht.

Stef heeft een foldertje met een tekst over de Kinder- en Jongerentelefoon bij zich met een plezierige lay-out. Ik beloof de kinderen een kopie voor wie er een wil. Eén bladzijde vergroot ik tot affiche om in de klas te hangen. (zie bijlage p 65)

De uitspraken zijn:

-Je moet je niet laten mishandelen! Anderen mogen met jou niet doen wat ze willen!
-Een geheim mag je niet verder vertellen maar als het een probleem is, doe je het best wel.
-Je kunt altijd met een probleem terecht bij de Kindertelefoon.

Deze uitspraken vormen de inleiding tot het nieuwe gesprek. Ik zeg tot de kinderen: Wanneer je een geheim hebt waarbij je je niet goed voelt, heb je het wel moeilijk. In de tekst over Tom, de jongen uit de klas van Meester Geert, gaat het over zo'n geheim.

1.2. Hier vind ik hulp

Misschien heb jij ook wel een geheim dat niet leuk is.
Stel je maar eens in de plaats van Tom: je hebt een erg groot probleem. Misschien gaat het over een extra moeilijk gevoel, waarover je met niemand anders durft te praten. Misschien kun je ermee terecht bij je ouders, of bij oma of bij nog iemand anders die je vertrouwt? Misschien denk je dat je zelf schuld hebt aan de situatie, omdat je niet geluisterd hebt naar een volwassene of omdat je ergens was waar je niet mocht zijn. (Bv. je bent toch naar het bos gegaan terwijl dat niet mocht; je hebt stiekem sigaretten gerookt, je hebt cadeautjes aanvaard).

En verder:

Onthoud goed dat je in alle gevallen - ook als je denkt dat je zelf schuld hebt aan de situatie - hulp moet zoeken bij iemand die je vertrouwt! (Hier kan nog een vertrouwensspelletje gespeeld worden.)
Maak voor jezelf een lijstje op met namen van mensen in je omgeving die je om hulp kunt vragen als dat nodig is.
Stel jezelf de vraag: "Aan wie durf ik mijn probleem vertellen?"
Schrijf bovenaan het lijstje:

HIER-VIND-IK-HULP-LIJST

vb. moeder/vader
     grootouders
     tante Riet / oom Theo
     de buren
     de meester/juf
     de Kinder-en Jongerentelefoon

Waarschuw de kinderen dat niet alle volwassenen - ook jijzelf niet - in staat zijn om in alle gevallen en bij elk probleem hulp te bieden. Benadruk dat ze altijd net zolang hulp blijven zoeken tot ze die hebben gekregen, ook al denken ze zelf schuld te hebben aan de situatie. Zeg hen dat het soms gaat over een extra moeilijk gevoel: een gevoel waarover ze met niemand anders durven praten.

1.3. Heb ik hulp gevonden?

Kinderen gaan er vaak van uit dat alle volwassenen hen zullen helpen. Vraag aan de kinderen om de HIER-VIND-IK-HULP lijst nog eens te bekijken. Vraag vervolgens wat zij hopen te horen als ze iemand om hulp vragen. Neem alle antwoorden ernstig. Wanneer een kind om geheimhouding vraagt, zeg dan dat het in een eerste stadium wel kan. Maar geheimhouding leidt meestal niet tot oplossingen.

Schrijf alle suggesties van de kinderen op het bord.
Kom uiteindelijk tot een nieuwe lijst met als titel:
GOEDE ANTWOORDEN!

> GOEDE ANTWOORDEN!
> Wat zou jij het liefste willen? (Stel steeds deze vraag.)
> Ik geloof wat je zegt.
> Het is niet jouw schuld.
> Ik vind het erg vervelend voor je dat dit is gebeurd.
> Ik ben blij dat je me het hebt verteld.
> Ik ga proberen je te helpen.
> enz.

Als de persoon die ik om hulp heb gevraagd mij niet kan helpen, dan ga ik net zolang zoeken tot ik iemand vind die zegt: 'ja, ik zal je helpen' en dat ook echt doet.

Deel IV

Een stap-voor-stap-plan

In dit gedeelte leren de kinderen dat problemen horen bij het leven. Ze ontdekken dat ze een heleboel problemen kunnen oplossen zonder de hulp van volwassenen. Ze leren dat gevoelens belangrijke aanwijzingen zijn voor het bestaan van een probleem. Als er een probleem is, moeten ze eerst 'ophouden en nadenken', d.w.z., niets meer doen tot ze zorgvuldig hebben nagedacht over een volgende stap. Zelfs kleine kinderen kunnen leren wat ze moeten doen om een probleem effectief op te lossen.

Het is heel nuttig voor kinderen om vaardigheden te leren die nodig zijn voor het oplossen van problemen. Kinderen die hebben geleerd systematische probleemoplossings-strategieën toe te passen, zijn in staat effectiever met stress en frustaties om te gaan. Wanneer ze goed problemen kunnen oplossen, blijkt dit ook een positieve invloed te hebben op hun leerprestaties. Bovendien is het vermogen om problemen zelf op te lossen een bron van trots voor het kind, met een heel positieve invloed op zijn gevoel van eigenwaarde. Wanneer een kind vaardigheden om problemen aan te pakken kan oefenen, wordt hem/haar een middel aangereikt waardoor het zelf vat krijgt op het oplossen van problemen. Op die manier worden kinderen assertiever.

Het aanleren van een stappenplan betekent ook voor mishandelde kinderen een duwtje in de rug, maar vormt niet de oplossing van hun problemen. Deze kinderen zijn zelf niet sterk genoeg om op te tornen tegen de agressie van volwassenen.

1. Oplossingsstappen:

De verschillende stappen van de probleemoplossing zijn:

1. Je realiseert je dat er sprake is van een probleem.
2. Kun je nadenken over het probleem en het onder woorden brengen?
3. Wat wil jij dat er gaat gebeuren?
4. Er zijn verschillende mogelijke oplossingen. Welke?
5. Denk bij iedere oplossing na over de mogelijke gevolgen. (Wat zou er gebeuren als je deze of die oplossing toepast?)
6. Je kiest de beste oplossing.
7. Maak een stap-voor-stap-plan om de oplossing uit te voeren.

Hoewel het proces nogal ingewikkeld is, kan het toch met succes worden aangeleerd als het in verschillende stappen wordt verdeeld.

Immers, voor het succesvol toepassen van de eerste stap moet het kind zijn eigen gevoelens leren herkennen en interpreteren. Omdat dat een vaardigheid op zich is, moet er tijd gemaakt worden om daarrond te werken.

Na het werken rond gevoelens worden de verschillende stappen ruimer belicht (zie: ruimere toelichting van het stappenplan).

2. Gevoelens

Voordat een kind oplossingsstappen kan aanleren, is het nodig dat het zich bewust is van zijn gevoelens, zodat het problemen kan herkennen als ze opduiken.

Vraag aan de kinderen of ze weten wat gevoelens zijn en of ze er enkele kunnen opnoemen.
Leg uit dat gevoelens een deel zijn van het dagelijkse leven en dat ze heel nuttig kunnen zijn om ons te helpen onszelf beter te begrijpen.

Laat de kinderen per twee in één minuut zoveel mogelijk gevoelens opschrijven. Ze lezen voor wat ze opgeschreven hebben. Heel waarschijnlijk zullen 'gelukkig, bedroefd, angstig en boos' bij elk groepje naar voren komen. Vertel de kinderen dat dit basisgevoelens zijn. Er zijn veel namen voor gevoelens die verschillende soorten geluk, droefheid, angst en woede beschrijven.
De kinderen krijgen nu een blad waarop heel wat gevoelens staan (zie bijlage). De leerkracht overloopt deze lijst samen met de kinderen. Sommige woorden zullen toegelicht moeten worden. Nu volgt een gesprek dat als volgt kan verlopen:

- "Herkennen jullie deze gevoelens?"
- "Is het je al eens overkomen dat je in één bepaalde situatie meerdere en ook verschillende soorten gevoelens had?"
- "Hoe weet je dat je op dat moment die bepaalde gevoelens ervoer?"

De kinderen zullen dit waarschijnlijk een moeilijk vraag vinden. Je legt dan uit dat gevoelens zich ook lichamelijk kunnen manifesteren. Bijvoorbeeld: verdriet kun je aanvoelen als pijn in de buik, samen met het afzakken van je gezichtsspieren. Je kunt ook tranen of een brok in de keel hebben. Geluk wordt door sommige mensen gevoeld als lichtheid en openheid in hun maag en borst en als het trekken van hun gezichtsspieren tot een glimlach. Woede wordt vaak uitgedrukt door spierspanning in het gezicht (vooral de kaak), nek, schouders en romp. Sommige kinderen melden een gevoel van "branden" of "alsof ik uit elkaar ga springen" wanneer ze boos zijn. Bang zijn, kan gepaard gaan met vele fysieke gewaarwordingen, zoals zweet in de handen, snellere ademhaling en hartkloppingen, en een soort spierspanning die aanvoelt als 'springerigheid', opengesperde ogen, en vlinders in de buik.

Je vertelt dat mensen verschillen in hun reacties en dat het daarom ook heel gewoon is dat bij eenzelfde situatie verschillende mensen anders kunnen reageren.
Daarom is het van belang dat de kinderen ook aandacht hebben voor de gevoelens van anderen.

De kinderen verknippen het blad. Nu kunnen de gevoelens gesorteerd worden onder de vier basisgevoelens.

Enkele gevoelens zijn alleen geschikt voor het secundair onderwijs; het is aan de lesgever om uit te maken welke gevoelens in aanmerking komen.

vb:	DROEVIG	GELUKKIG	BANG	BOOS
	verdrietig	blij	angstig	woedend
	ongelukkig	verrukt	bibberig	razend

Nadat de woorden in categorieën zijn verdeeld, vraag je de kinderen elke groep in te delen naar intensiteit: zeer intensief, gewoon, niet zo intensief;

vb:	ZEER STERK	GEWOON	NIET ZO STERK
	woedend	boos	ontstemd
	doodsbang	bang	bibberig

3. Gevoelens herkennen en verschillende situaties beoordelen

Deze activiteit kan best plaatsvinden in een grote ruimte. De kinderen zitten verspreid in de ruimte zodat ze van elkaar niet kunnen zien wat ze schilderen. De leerkracht of begeleider leest een situatieschets voor. De kinderen bedenken voor zichzelf welke gevoelens dit verhaal bij hen opwekt. Ze schetsen deze gevoelens door middel van kleuren. Wit staat voor het positieve, zwart voor het negatieve en grijs voor dubbele gevoelens (Eén en dezelfde situatie kan soms zowel een positief als een negatief gevoel teweeg brengen).

3.1. Situatieschetsen voor kinderen uit de basisschool

1. Je hebt aan je ouders een huisdier gevraagd en zij willen je een goudvis geven. Je zou eigenlijk een kat of een hond willen, maar je ouders denken dat dat teveel werk en verantwoordelijkheid met zich meebrengt.

2. Je kleine broertje/zusje loopt je overal achterna en wil alles doen wat jij doet. Je klaagt erover tegen je ouders, maar zij zeggen : "Wees toch lief tegen hem/haar".

3. Je broer/zus begint altijd met je te vechten, en dan heb je allebei problemen. Je hebt er genoeg van dat je ouders boos op je zijn voor iets waarmee je niet zelf begonnen bent.

4. Als je bij een vriendje gaat spelen, heeft hij/zij soms een ander kind op bezoek en willen ze jou niet mee laten spelen. Je voelt je buitengesloten.

5. Je zou zoals je vrienden modernere kleren willen dragen, maar je ouders geven je geen geld.

6. Je probeerde bij een sportclub te komen, maar bent daar niet in geslaagd. Nu zijn al je vrienden steeds aan het trainen en jij hebt niemand om mee te spelen.

7. Jij en je beste vriend(in) kunnen heel goed met elkaar opschieten, behalve op één punt: hij/zij speelt altijd vals, maar zal het nooit toegeven.

8. Je ouders zeiden dat je je fiets nooit 's nachts mocht laten buiten staan, maar je deed het toch. Vanmorgen was de fiets verdwenen.

9. Er staat je een belangrijk proefwerk te wachten en je bent echt zenuwachtig. Je bent bang dat je er niets van terecht brengt.

10. Je vriend(in) ging plotseling met andere kinderen spelen en wou niet meer tegen je praten. Je weet niet waarom en je voelt je buitengesloten.

11. Jij en je vrienden willen tijdens de speeltijd voetballen, maar er is maar één voetbal en andere kinderen krijgen hem altijd het eerst te pakken.

12. De andere kinderen lachen je uit omdat je zo'n lange benen hebt. Je zou wel willen dat je er niet zo opvallend uitzag.

13. Je broer lijkt wel een supermens. Hij haalt goede punten, heeft een heleboel vrienden, en ligt bijna nooit overhoop met je ouders. Je kunt er niets aan doen dat je jaloers bent.

14. Je hebt hard gewerkt voor een proefwerk, maar toch een onvoldoende gehaald. Je denkt dat de vragen niet eerlijk waren.

15. Je bent samen met een groep vrienden. Ze willen ergens heen, maar jij mag niet van je ouders. Je vrienden zeggen dat je toch moet mee-gaan, want je ouders zullen er nooit achter komen.

3.2. Situatieschetsen voor jongeren

1. Je leraar Nederlands heeft het werkelijk op jou gemunt. Je hebt het hele weekend aan je opstel gewerkt en een lager cijfer gekregen dan je volgens jou verdiende.

2. Aan de fietsenstalling op school biedt een klasgenoot jou een joint aan. Je wilt er niet aan meedoen, maar hij lacht je uit omdat je zo ouderwets doet.

3. Je lichaam lijkt zich veel langzamer te ontwikkelen dan bij andere kinderen van je leeftijd, en je vindt dat erg vervelend. Het ergste is dat de anderen je na de gymnastiekles in de kleedkamer voor gek zetten.

4. Gewoonlijk fiets je naar school met een bepaalde vriend. Maar sinds kort gaat hij veel meer om met iemand anders, en bemoeit zich niet meer met jou.

5. Tijdens een proefwerk draait degene die voor jou zit zich om terwijl de leraar het niet ziet, en kijkt op jouw papier. Je hebt hard ge-studeerd voor dit proefwerk en je hebt er geen zin in om je antwoor-den met een ander te delen. Bovendien, als de leraar het ziet zou hij kunnen denken dat je die ander vrijwillig laat spieken.

6. Je ouders maken de laatste tijd nogal veel ruzie. Het lijkt erop dat ze zich afreageren op je kleine broertje, en jij vindt de straffen die ze hem geven oneerlijk.

7. Je broers en zusjes vallen je altijd lastig als je thuis vrienden op bezoek hebt. Je ouders lijken niet te begrijpen dat je je hierover flink boos maakt. Ze zeggen: "Het is ook hun thuis".

8. Je beste vriend probeert het meisje te versieren waar jij verliefd op bent. Je vindt dit niet erg trouw en je bent er boos om.

9. Eén van je vrienden doet de laatste tijd erg raar. Plotseling wil hij niet meer meedoen met de dingen die jullie vroeger samen deden. Hij wil alleen maar in zijn eentje op zijn kamer zitten. Je bent verdrietig omdat je je vriend hebt verloren en je maakt je ook bezorgd over hem.

10. Je moeder vindt het nooit goed als je iets met je vrienden onderneemt, maar je vader laat je gewoonlijk je gang gaan. Als je je vader om toestemming vraagt, wordt je moeder boos en krijgen je ouders ruzie. Jij wil alleen maar weggaan met je vrienden zonder een familieruzie te veroorzaken.

11. Je bent aan het winkelen met een vriendin. Buiten laat ze je zien dat ze iets gestolen heeft. Ze stelt voor om samen terug te gaan en nog iets te pikken. Je zou wel een cd willen hebben, maar je bent bang om betrapt te worden. Je wilt niet dat je vriendin denkt dat je het niet durft.

12. Een vriend vraagt je iets te leen. Eigenlijk wil je hem helemaal niets uitlenen, maar de vriend in kwestie heeft aan jou ook al eens dingen geleend. Daardoor kun je het hem moeilijk weigeren.

Nadat je al de situaties voorgelezen hebt, houd je een kort gesprek over de 'grijze vlekken'. Het is de bedoeling dat de kinderen van elkaar horen dat ze zo'n dubbele gevoelens wel meer ervaren. Waarschijnlijk zal in dit gesprek duidelijk worden dat dit heel gewoon, heel normaal is.

4. Ruimere toelichting van het stappenplan

Nu worden de verschillende stappen ruimer belicht zoals dat ook met een groep jongeren kan gedaan worden. Daarna wordt het plan geoefend met probleemsituaties die door de jongeren of door de leerkracht aangeboden worden.

4.1. Voor jongeren van het secundair onderwijs

a. Herkennen dat er een probleem is

De eerste stap is: herkennen dat er een probleem is. Dit houdt in dat de jongere zijn eigen gevoelens kritisch moet bekijken met de bedoeling angst, zorgen, verdriet of andere vervelende zaken te ontdekken. Negatieve gevoelens geven aan dat er een probleem is dat opgelost moet worden.
Omdat het leren herkennen en interpreteren van gevoelens een vaardigheid op zich is, is het wenselijk dat er tijd gemaakt wordt om daar ernstig rond te werken.

b. Denk na over het probleem

De tweede stap houdt in dat de jongere niets doet totdat hij erachter komt wat het probleem precies is. Hij probeert de situatie objectief te bekijken. De jongere probeert voor zichzelf het probleem te verwoorden.
Dus: *Ik breng het probleem duidelijk onder woorden.*

c. Wat wil jij dat er gaat gebeuren?

Wanneer het probleem duidelijk onder woorden is gebracht, moet een doel gesteld worden. Wat is het gewenste resultaat voor deze situatie? Hoe lossen we het probleem op?
Dus: *Wat wil ik dat er gebeurt? Hoe los ik m'n probleem op?*

d. Er zijn verschillende mogelijke oplossingen

Bedenk een heleboel verschillende oplossingen. Beoordeel ze nog niet op hun waarde. Zet alleen de mogelijkheden op een rijtje, het doet er niet toe hoe vergezocht ze zijn. Wees creatief.
Dus: *Wat zijn de mogelijke oplossingen?*

e. Denk bij iedere oplossing na over de mogelijke gevolgen

Wat zou er gebeuren als je deze of die oplossing zou toepassen? Denk goed na over de gevolgen die elk van deze oplossingen waarschijnlijk met zich mee zullen brengen.
Dus: *Ik denk na over elke mogelijke oplossing.*

f. Kies de beste oplossing

In deze fase zullen sommige oplossingen beter lijken dan andere. Kies een oplossing of een combinatie van oplossingen, die goed uitvoerbaar is en gunstige gevolgen zal hebben.
Dus: *Ik kies de beste oplossing.*

g. Maak een stap-voor-stap-plan om de oplossing uit te voeren

Maak tenslotte een plan op om de gekozen oplossing uit te voeren. Iedere stap moet van tevoren goed overdacht worden.
Dus: *Ik bereid de oplossing voor.*

Wanneer de jongeren de oplossingsstappen begrijpen, wordt er een bepaald probleem als voorbeeld genomen om alle zeven stappen toe te passen.

Schrijf het probleem, de oplossingen en de gevolgen op het bord of op een papier, terwijl je iedere stap bespreekt. Wanneer de jongeren geen (persoonlijk) probleem kunnen bedenken, stel dan zelf een situatie voor: bv. verdwaald raken op een nieuwe school, een probleem hebben met een leerkracht (laat een jongere dit probleem dan specifiëren), of nieuwe vrienden maken.
Het kan helpen deze oefening twee of drie keer te herhalen, telkens met een ander probleem.

Nadien proberen jongeren in kleine groepjes een probleemsituatie op te lossen met behulp van het stappenplan. Ze kiezen een situatie uit de volgende lijst. Deze situaties zijn hen niet onbekend, omdat ze reeds gebruikt werden voor het leren herkennen en interpreteren van gevoelens. Doordat de jongeren vertrouwd zijn met de eerste stap van het plan, is de drempel voor het oplossen van het probleem wat lager. Daarover kunnen de oplossingen eventueel klassikaal besproken worden.

De meeste jongeren zullen weinig moeite hebben met de moeilijkheid van het model, maar ze kunnen niet goed kiezen welke oplossing ze moeten gaan toepassen. Geef ze zoveel mogelijk verantwoordelijkheid als nodig is, waarbij ze moeten werken in de richting van zelfstandiger functioneren. Wanneer de jongeren zelf eigen oefensituaties willen opstellen, moeten zij hierin worden aangemoedigd.

De probleemsituaties die aangeboden worden zijn die uit het onderdeel 'gevoelens'.

4.2. Voor kinderen van de basisschool

Met de situaties die hier worden aangeboden, krijgen ook jongere kinderen de gelegenheid om het toepassen van de oplossingsstappen te oefenen met voorbeeldproblemen. Als de kinderen niet in staat zijn alle zeven oplossingsstappen te gebruiken, omdat ze niet zoveel ineens kunnen onthouden en toepassen, kun je het proces vereenvoudigen tot de volgende vier stappen:

1. Wat is het probleem?
2. Noem er een paar oplossingen voor.
3. Wat zou er gebeuren als ik deze oplossingen eens uitprobeerde?
4. Wat is de beste oplossing?

Je kunt de kinderen helpen door als een soort 'geheugen' te fungeren en de voorgestelde stappen bij te houden. Als de kinderen de vier stappen eenmaal onder de knie hebben, kun je overgaan tot het volledige zeven-staps-model. Geef de kinderen de nodige leiding, zodat ze reëel en verstandig blijven bij het onderkennen van het probleem, de doelstellingen, gevolgen en de beste oplossingen. Als ze een voor de hand liggende oplossing of consequentie missen, moet je hen op weg helpen. Verzin soms een obstakel voor een oplossing en help wegen vinden om het nieuwe probleem op te lossen. (Bv. in de tweede oefensituatie hieronder, zou het kind kunnen besluiten een afspraak te maken met het kleinere kind om niet alsmaar te worden achterna gelopen. Accepteer deze oplossing, en vraag dan wat het doet als het kleintje zich niet aan deze afspraak houdt en toch weer achter hem/haar aan gaat lopen.)

Je kunt één of meerdere situaties bespreken met de hele klasgroep, of je kunt de klas opsplitsen in groepjes. Elk groepje kan dan een situatie kiezen en hierbij het stappenplan toepassen, zoals werd aangegeven voor de oudere kinderen.

Ook hier worden de voorbeeldsituaties gebruikt uit het gedeelte 'gevoelens'. Uiteraard volgt telkens een bespreking.

Deel V

Poëzie

1. Poëzie leren waarderen en voordragen

Bij het begin van het werkjaar geeft de leerkracht of begeleider elke kind een bundel gedichten. Gedurende het werkjaar mogen de kinderen regelmatig het gedicht van hun keuze voordragen.

De gedichten die wij je hier geven werden zowel door volwassen dichters als door jongeren geschreven. De volgende thema's komen steeds terug: vriendschap, relaties, gevoelens...

Via deze gedichten kunnen de kinderen hun eigen gevoelens, zorgen en problemen op een 'onpersoonlijke' manier naar voren brengen.

Vandaag, morgen, overmorgen

Vandaag
ben ik
een zwembad.
Als jij springt,
spetter ik
van plezier.

Morgen
ben ik
vos
jager
eend
of gejaagde eend.

Overmorgen
ben ik
een rood licht.
Als jij wacht,
vertel ik
jou een geheim.

Sine van Mol

Je sneed
me
aan

proefde
me
ik
was te
zoet

je legde
me
in de koelkast

ik beschimmelde

het liet je koud

Carmen Van Schel, '14de poëziewedstrijd 1994'
(Bekroond in de Soetendaellewedstrijd van Jeugd en Poëzie)

Winternacht

Weet je nog
die ene keer
't was koud en 't had gesneeuwd
Je adem vormde wolkjes, koude oren
en het had niet veel gescheeld
of we waren aan elkaar gevroren

Greet Bilsen, '14de poëziewedstrijd 1994'
(Bekroond in de Soetendaellewedstrijd van Jeugd en Poëzie)

Kom nog niet te dicht bij mij
met je voelen en je vragen
misschien kan ik morgen wel
en misschien duurt het nog dagen

kom niet te dicht bij mij
doe het liever niet te vlug
want eens je zo dicht bij me bent
kan je enkel nog terug

Greet Bilsen, '14de poëziewedstrijd 1994'
(Bekroond in de Soetendaellewedstrijd van Jeugd en Poëzie)

Nat

er was geen maan die avond
geen sterren in de stad
er waren enkel wolken
en elke bank was nat

er was geen zee geen strand
geen dansvloer en geen veld
en we konden nergens heen
want we hadden weinig geld

we konden ook niet schuilen
en jouw jas was veel te klein
maar voor ons was het genoeg
om samen nat te zijn

Greet Bilsen, '14de poëziewedstrijd 1994'
(Bekroond in de Soettendaellewedstrijd van Jeugd en Poëzie)

Saskia

Saskia,
al zit je dan in een andere klas,
ik hou zoveel van je,
zoveel als
alle sprietjes gras,
zoveel als niemand doet,
maar ik mis de moed
om het te zeggen...
Ik zoek je op het speelplein
met m'n ogen,
maar ik zie het wel,
je bent nergens,
ook niet op je vaste plek
hangend aan het rek.
Ik ben bang
dat je thuis bent,
ziek of zo.

Theo Olthuis, 'Stoepkrijt'

Voor Anne F.

Lieve Anne,

Wat je schrijft is waar.
Grote mensen doen maar.
Laten bommen vallen,
pikken een land.
Vervuilen de lucht,
de zee en het strand.
Rijden te hard
en drinken te veel.
Gaan uit elkaar
of spelen toneel.
Maar ik heb een mooi visioen :
Eens...
zullen wij het anders doen !

Je vriendin
Kitty

Theo Olthuis, 'Het geluid van vrede'

Marteling

Ze kunnen je schoppen,
ze kunnen je slaan.
Ze kunnen je bloot
in de kou laten staan.
Ze kunnen haast alles,
je nét laten leven
of laten verrekken.
Maar één ding
kunnen ze niet :
gedachten uit je trekken.

Theo Olthuis, 'Het geluid van vrede'

De onbekende kinderen

Voor hen
die uit het nest gevallen,
tussen afval voedsel zoeken.
Voor hen
die dwalen in de nacht
en schuilend bij elkaar,
de kille stad vervloeken.

Net begonnen, koud in leven,
weggewerkt en afgeschreven.
De onbekende kinderen
van de rekening.

Voor hen
waaraan geknoeid is,
die verdronken zijn
en plat gereden.
Voor hen
die bij de grensstrook,
in een mijnenveld vol bloemen
argeloos hun spelletjes deden.

Amper begonnen, koud in leven,
aan de hemel prijsgegeven.
De onbekende kinderen
van de rekening.

Theo Olthuis, 'Het geluid van vrede'

Het geluid van vrede

M'n moeder op het balkon,
genietend van de voorjaarszon,
af en toe een zuchtje.
M'n vader met de krant,
languit op de bank.
Af en toe geritsel
en een kuchje.
Geen televisie, geen telefoon.
Wel bijzonder, heel gewoon
de stilte,
zélfs boven en beneden.
Dit is het dus,
zolang het duurt :
het geluid van vrede.

Theo Olthuis, 'Het geluid van vrede'

De gepeste

Hij zou zo graag
onzichtbaar willen zijn.
Op een knopje kunnen drukken
of een toverspreuk weten
en voor hun roofdierogen
in rook opgaan.
Maar is het weer zover,
dan blijft hij
als aan de grond genageld staan.
De grijnzende gezichten,
het getreiter
en tot slot de vuisten...
Er is geen ontkomen aan.

Theo Olthuis, 'Het geluid van vrede'

De voorkant

Als een jongen wordt geboren,
is zijn lichaam kant en klaar.
Alles moet alleen nog groeien,
hier en daar nog wat haar.
Als een meisje wordt geboren,
is 't een moeilijk geval :
niemand kan haar nog vertellen
hoe haar voorkant worden zal.

Rond of spits of groot of klein,
dat zal een verrassing zijn.
Net zoveel als Beatrix
of misschien wel bijna niks.
Ach, de tijd zal moeten leren
of 't op appels lijkt of peren.

Als je in de klas een beurt krijgt
en je staat dus voor het bord,
zie je jongens zitten gluren
of het misschien al wat wordt.
's Avonds kijk je in de spiegel,
heel onzeker ben je dan,
bijna roep je: een, twee, drie, vier,
komt er nog wat van?

Rond of spits of groot of klein,
dat zal een verrassing zijn.
Net zoveel als Beatrix
of misschien wel bijna niks.
Ach, de tijd zal moeten leren
of 't op appels lijkt of peren.

Als het zover is gekomen
zul je denken, vroeg of laat,
dat je met totaal verkeerde
borsten door het leven gaat.
Hoe ze ook zijn uitgevallen,
jij vindt dat er wat aan scheelt.
Ook als iemand is gekomen
die ze mooi vindt? en ze streelt?

Willem Wilmink , 'We zien wel wat het wordt'

Eenzaam

Ik zit op mijn kamer en kijk voor me uit.
Zelfs de hond met zijn natte snuit,
de kat met haar donzige vacht,
niemand die kijkt naar me, niemand die lacht.

Maar... als ik naar beneden kom,
van rechts naar links, in slalom,
dan ga ik ze allemaal storen
en dan moeten ze me wel horen.

Eerst speel ik heel hard op mijn fluit
en dan zeg ik luid:
Jullie weten het toch?
Ik ben er ook nog!

Greet Lambrechts, 'Strikjes in de struiken'

Puberteit

De jongens van mijn leeftijd zijn
opeens te schreeuwerig en klein.
Ik heb altijd met ze gespeeld,
gevoetbald en het snoep gedeeld,
met ze geklommen over muren
en aangebeld bij boze buren.
Maar nu ben ik hun vriendschap kwijt,
want ik ben in de puberteit.

Mijn moeder zegt 'Wat ben je sip'
en ze bekijkt me vol begrip,
net of ze alles van me weet.
Mijn vingers op het tafelkleed
trekken dan vierkanten en kringen
en ik zeg heel gemene dingen
en heb al van te voren spijt,
zo gaat dat in de puberteit.

Binnenkort moet ik een beha,
en dan naar gymles, ga maar na:
zodra 'k mijn kleren uit moet doen,
krijg ik een kop als een pioen,
want als de anderen dat zagen
dat ik zo'n kledingstuk moet dragen,
dan was mijn afgang wel een feit.
O, God, ik heb de puberteit.

Op avonden met prachtig weer,
wanneer ik dus mijn huiswerk leer,
hoor ik beneden in de straat
de kinderen met hun kinderpraat.
Ik weet hun spelletjes, hun regels,
en al hun tekens op de tegels,
en vraag me af, in eenzaamheid,
hoe lang dat duurt, zo'n puberteit.

Willem Wilmink, 'We zien wel wat het wordt'

Te snel

Kusje hier, kusje daar,
niet verder dan tot daar.

Hé, ben je maf ?
Handen af !

Zonder vragen
je handen verlagen

naar een plaats die jij niet kent,
wie denk jij wel dat je bent ?

't Is over, 't is voorbij,
je gaat te snel voor mij !

Dietlinde Oppalfens, 'Pedagogische bijdragen voor Technisch, kunst- en beroepsonderwijs 118'

Niet zoveel

Jij zegt dat ik je steeds doe zweven
dat je met mij de hemel wil beleven
maar je hoeft op niet zoveel te hopen
ik wil gewoon wat naast je lopen.

Katrien Finaut, 'Pedagogische bijdragen voor technisch, kunst- en beroepsonderwijs 118'

Leuke school

De tweede dag lag mijn lunch
als beleg tussen bladzijde 13 en 14
van mijn nieuw wiskundeboek.

Toen kreeg ik bezoek van een
kippepoot in mijn jaszak.

Een dag later wapperde mijn turnpak
aan een tak. Op de WC
kreeg ik een douche mee.

Daarna was mijn voorwiel vermist.
Ook genoot elke klasgenoot
van een stukje van mijn meetlat.

Thuis vroeg ma: 'Leuke school ?'
'O ja, echte grapjassen, ma!'

Daniel Billiet, 'Alleen aan zee is de kust veilig'

Spanje

Het was nog vroeg ik ging naar zee
wist niets van jouw bestaan.

De zon werd warm de wind liep mee
toen kwam je aan.

Je maakte kennis met de hond
ik zat er bij.

Je zei iets wat ik niet verstond
en keek naar mij.

De zon werd laat de middag oud
er was geen taal.

Maar in je ogen stond vertrouwd
een heel verhaal.

De nacht is stil de maan oranje.
Ik ben verliefd op jou en Spanje.

Johanna Kruit, 'Zoals wind om het huis'

Netjes

Ze zijn zo netjes
bij jullie thuis.
Altijd weer poetsen
en dweilen.
Ook jouw kamer.

Gedachten op een rijtje
gevoelens aan kant
herinneringen opgeborgen
verlangens op slot.

Stoft je moeder ook
mijn foto af
of staat die niet meer
overeind?

Gil vander Heyden, 'Een puntje krokus'

Opnieuw

Op het zand
van het strand
in voetstappen
terugtreden.

Kon dat maar.
Van mij
naar jou
alles overdoen.

Ik zweer je
het zou lukken.

Nu wel.

Gil vander Heyden, 'Een puntje krokus'

Zo tover ik

Nu moet een rode auto komen.
Om de hoek op het zebrapad
mogen alleen mijn hielen op wit.

Het licht springt voor mij op donker
en in minder dan tien stappen
zal die bakkerij gaan geuren.

Als de hond blaft op de derde
trede, het licht niet vlucht
voor mijn sleutel het slot vindt,

dan zal er geen briefje liggen :
'Schat, ik kom wat later thuis.'

Daniel Billiet, 'Wat de ogen niet horen'

Dikkie Dik!

Nooit zie je bij Els waar zij eindigt
en haar jurk begint.
Elk uitstalraam vertelt haar hoe
dik zij is. Soms met spottend gezang
aan de bushalte : 'Dikkie Di-ik!'

Alsof de weegschaal een te heet
bad is, zo voorzichtig stapt zij erop.
Opdat de naald niet zou schrikken
bij het aandikken van haar verdriet.

Zij krijgt het er telkens warm van
en neemt van ontgoocheling
een snoepje.

Daniel Billiet, 'Als de banaan zich kromt'

Schuld

Mijn pa blafte me af als hij de
tandpasta niet in het bakje zag.
Hij snauwde als ook maar één laatje
op een kiertje gaapte. Hij brieste
als ik plots niesde, hij ontplofte
als ik in een zetel plofte.

Nu al jaren hoor ik nog de stilte
na de klap toen pa het huis uitbrak.
Had ik maar de tandpasta in het bakje
gelegd, geen laatje een kiertje gelaten,
niet plots geniesd en met een plof

mijn pa het huis uitgespookt.

Daniel Billiet, 'Als de banaan zich kromt'

Weglopen

Ik loop de weg steeds verder weg.
Nu ben ik zonder huis.
En ieder woord dat is gezegd
duwt me vooruit.

De avond doet gordijnen dicht.
De wind trekt aan mijn haar.
Het regent wat op mijn gezicht.
Of huil ik nou? - Wat raar!

Er komt een fietser op de dijk.
Wat doet die hier zo laat ?
Ik wil niet kijken, maar ik kijk
tot vader voor me staat.

Ik wil niks zeggen, maar ik praat.
Zijn hand ligt op mijn haar.
Kom, zegt hij, kom, het is al laat.
Stil nu maar.

Nu gaan we samen op de fiets.
Ik denk aan niets.

Johanna Kruit, 'Vannacht zijn we verdwenen'

Gisteren vond ik je

Gisteren vond ik je
helemaal niet eng.
Je was een beetje geel
maar zag er beter uit
dan in de laatste maanden.
Je zweette niet meer.
Je leek kleiner.

Ze zeiden dat je
er mooi bij lag
maar ik zag dat je
wachtte. Je wou weg.

Nu moet je ergens zijn.
Vannacht ben je daar
voor het eerst. Ik hoop
dat je niet bang bent.
Dat het wennen zal. Dat ze
aardig zijn.

Misschien zie je me
nu. Dan weet je
hoe ik je mis
en dat ik flink ben.

Kees Spiering, 'Thuis, in een vreemde tuin'

2. Poëzie leren schrijven

Kinderen kunnen ook zelf poëzie schrijven. Via een gedicht kunnen ze vaak heel wat emoties kwijt.
De volgende publicaties kunnen een hulp zijn om met je leerlingen poëzie te schrijven:

Ben Reynders, Nele Warson en Edwin Van Troostenberghe, *Poëzie kennen, waarderen en schrijven in de 2de en 3de graad van het basisonderwijs*. 1995. KCLB. Sint Eligiusinstituut, Van Helmontstraat 29, 2060 Antwerpen, tel: 03/272.21.46

Wilfried Luyten en Marc Stevens, *Gedichten door-zien. Kinderen leren poëzie lezen*, 1986, Uitgeverij Acco, Tiensestraat 134-136, 3000 Leuven.

Jan Van Coillie, *Poezie graag. Werken met gedichten in de kleuterklas en de basisschool*, Altiora, Averbode. 1990.

Deel VI

Film: 'My Girl'

'My girl', USA / 1991 / 102 min. / regie: Howard Zieff / scenario : Laurice Elehwany / Wamera : Paul Elliott / muziek : James Newton Howard / montage : Wendy Greene Bricmont / productie : Brian Grazer voor imagine films entertainment production / Vertolking : Dan Aykroyd (Harry Sultenfuss), Jamie Lee Curtis (Shelly Devoto), Anna Chlumsky (Vada Sultenfuss), Macaulay Culkin (Thomas), e.a. / ** (v)- ** (i) / 1 gr. s.o. / f 1 tv 422 - 423.

1. Verhaal

Vada is een elfjarig intelligent en initiatiefrijk meisje. Zij is de dochter van een begrafenisondernemer, een wat eenzelvig weduwnaar. Ze heeft een vriendje,Thomas, met wie ze 'bloedbroederschap' sluit, er is een leraar op wie ze verliefd is, en er is de schoonheidsspecialiste die de nieuwe levenspartner van haar vader wordt.
De film kaart ernstige onderwerpen aan maar de humor is nooit ver weg. Vaak moet je glimlachen maar tegelijkertijd voel je mee met het verdriet en de moeilijkheden van Vada.
In het kader van dit boekje is 'My girl' perfect bruikbaar.

2. Thema's

Thema's die in meer of mindere mate aan bod komen zijn: de dood, vriendschap, relaties, poëzie als expressiemiddel, de groei naar volwassenheid, de eerste menstruatie, puberteit, het belang van het verwoorden van angsten en andere gevoelens, het leren omgaan met eigen gevoelens en die van de anderen.

3. Verwerking: een gedicht of een opstel schrijven

3.1. Lees de kinderen het gedicht voor van Vada op. Vertel de kinderen :

Vada volgt een cursus 'Poëzie schrijven'. Naar het einde van de film toe leest ze haar eigen gedicht voor. Haar vriend Thomas is dan gestorven. Hij was haar 'bloedbroeder', met hem bracht ze veel tijd door onder of in een treurwilg. Daar gaat haar gedicht over.

Treurwilg met je tranenvloed

Treurwilg met je tranenvloed
waarom huil en ween je zo?
Omdat hij er ineens niet meer was?
Omdat hij niet kon blijven?
Op je takken klauterde hij.
Verheug je je op die dag?
Hij vond rust in jouw schaduw,
zijn lach klinkt nog altijd na.
Treurwilg huil niet meer,
want iets kan je troost brengen.
Jij denkt dat de dood je scheidt,
maar hij zal blijven in je hart.

Vada

3. 2. Werkblad

Op het werkblad dat elk kind krijgt, staat de opdracht verwoord. Lees die opdracht hardop voor; laat daarna de kinderen schrijven.

werkblad

Jij bent toch ook wel eens heel ongelukkig geweest.
Je had verdriet.
Vertel hoe dat kwam.
Hoe voelde jij je toen ?
Wat dacht je ?
Vertel dat maar eens in geuren en kleuren.
Je mag een gedicht schrijven of een opstel.
Maak eerst een kladje.
Zorg voor een passende titel.

En nu aan het werk !

....
....
....

Opmerking

Wanneer de kinderen de film niet gezien hebben, is het gedicht van Vada niet duidelijk genoeg als inleiding. Lees dan een ander gedicht voor om de kinderen in de gepaste stemming te brengen.

Route [24] oké !

Epiloog

Over de reis die vooraf ging

Een reisverslag

Met z'n tienen hadden we dezelfde uitnodiging in onze brievenbus gevonden: 'Trek weg uit het land van Taboe en verken nieuwe einders!'
De brief sprak verder van stevig schoeisel, een goede brok lectuur, gedichten voor 's avonds. Een verrekijker mocht ook, net als een gitaar, een dwarsfluit of een tuba...
Omdat de bestemming nog heel vaag bleef - 'een land met diepe waters, kleurrijke emoties, attente inwoners en veel kinderen' - , beloofde het een avontuurlijke trip te worden.

Bij de eerste kennismaking bleek al vlug dat ieder van ons graag bezig was met kinderen en jongeren. En we ontdekten nog een andere rode draad: onze gevoelens voor de meest kwetsbaren. Een boeiend en confronterend gegeven dat ook voor onszelf een soort 'ommekeer, ommekaar' betekende.

Op de dag van het vertrek verscheen ieder van ons tijdig op het appèl. De groep bestond uit ervaren hulpverleners, leerkrachten en een bezielde schrijfster.
Bepakt met de beste bedoelingen en met in onze koffers een heel stel reisgidsen, werd de reis naar 'het land waar ieder zichzelf mag zijn' met onze robuuste 4x4's aangevat. In de lange voorbereidingsperiode had het bonte gezelschap zich blijkbaar goed geïnformeerd. De eerste gesprekken lieten er geen twijfel over bestaan dat elke deelnemer een welbepaald doel voor ogen had.

Wie enige ervaring heeft met dit soort avontuurlijk-reizen-in-groep zal begrijpen dat het toch een poosje duurde voor de groep een echt team begon te vormen. Vooral in de beginfaze was er nogal wat onenigheid over de te volgen reisweg. Er volgde een verhitte discussie toen op een van de beslissende kruispunten gekozen moest worden tussen twee duidelijk verschillende pistes.

Enkelen vroegen zich luidop af of het niet beter was 'Route 13' - ook wel de 'confrontatieweg' genoemd - te volgen. De talrijke stopplaatsen waar zich de weerbaarheidstrainingen, de 'bijt-van-je-af-cursussen' en de 'tank-wat-moed-stations' bevonden, maakten indruk. Deze route was duidelijk druk bereden - de rijsporen waren flink uitgehold. Vreemd was wel dat op dit ogenblik zichtbaar het geld ontbrak om enkele dringende herstellingswerken aan die weg te laten uitvoeren. Het leek wel een teken aan de wand.

De anderen in de groep lieten zich echter niet van de wijs brengen. Ze slaagden erin iedereen te overtuigen dat men de snelweg met het onheilspellende nummer beter links liet liggen.

We kozen voor 'Route 24' of de 'weg der dialoog'. Deze weg mocht dan wat langer zijn, hij had ook heel wat voordelen.

Waar je ook kwam, op welk moment of op welke plaats ook, steeds vond je er een 'praatpaal', een rustgevend cafeetje of een restaurant met speeltuin, zwembad of springkasteel. Er moest immers een reden zijn waarom hier zoveel schoolbussen en wagens met kinderen reden.

Op deze weg vond je veel parkings en werd er trager gereden. Er was een fietspad waar druk gefietst werd. Het landschap was er mooi en afwisselend. We zagen vaak mensen rond een kampvuur zitten. Ze praatten rustig en luisterden aandachtig. Gevoelens en herinneringen die voordien niet uitgesproken werden, kwamen tijdens die gesprekken eindelijk aan de oppervlakte.

De kinderen bouwden echte kampen. Er werden vriendschappen gesmeed, geheimen gedeeld, dure eden gezworen...

Mensen - zowel jongeren als ouderen - ontdekten wie ze eigenlijk waren en kregen respect voor elkaar.

Ongemerkt groeide er tussen hen een stevige band. Bijna niemand voelde zich nog alleen.

Door al deze indrukken en ervaringen raakten we er steeds meer van overtuigd dat we de juiste weg hadden gekozen. En inderdaad, na vele dagen kwam ons doel in zicht. Op een groot bord lazen we : "Welkom in het land van jouw gevoelens. Leer ze kennen en begrijpen en word de mens die je in wezen bent. Jij bent de moeite waard!"

We werden met open armen ontvangen. Ieder kreeg een persoonlijke verwelkoming en kon kennis maken met een vriendelijke gastvrouw of -heer. Ze gaven meteen hun telefoon- of faxnummer om hen meteen te verwittigen mochten we tijdens ons verblijf problemen krijgen. Het gaf een veilig en aangenaam gevoel.

DRING! - DRIING! - DRIIIINGEND!
DE KINDERTELEFOON

nemen. Die, als het even kan, een antwoord op je vraag hebben. Of die samen met jou op zoek gaan naar een oplossing voor je probleem.

Bovendien hoef je bij de Kindertelefoon niet te zeggen wie je bent. En natuurlijk vertellen de mensen van de Kindertelefoon nooit iets door. Aan niemand. Daar kun je op vertrouwen. De Kindertelefoon is er immers voor jou!

Je zit ergens mee. Een vraag, een probleem, een idee, een verhaal... noem maar op. Iets waar je graag met iemand over wilt praten. Liefst met iemand die je kent of met een vriend.Maar, dat zul je altijd zien, die zijn er dan net even niet. Of wat je te vertellen hebt, gaat toevallig over die vriend, of je vindt het raar om er met hen over te praten.

Dan bel je toch gewoon de Kindertelefoon?! Want daar kun je elke dag - behalve op zon- en feestdagen - van vier uur 's middags tot acht uur 's avonds je verhaal kwijt. Aan mensen die heel goed naar je luisteren. Mensen die altijd volop aandacht voor je hebben, die je altijd serieus

DE KINDERTELEFOON
078/15 14 13
of schrijven naar
DE KINDERTELEFOON
Postbus 50,
2800 Mechelen

afgewezen	gek	razend
angstig	gelukkig	roekeloos
agressief	geschrokken	somber
bang	gespannen	sterk
bedeesd	goed	tevreden
bezorgd	hartelijk	veilig
bibberig	jaloers	verdrietig
blij	kalm	verlegen
boos	koel	verloren
dapper	liefhebbend	verrukt
doodsbang	onaangenaam	verveeld
droevig	ongeduldig	vreselijk
dwars	ongelukkig	vriendelijk
eenzaam	ontmoedigd	vrolijk
ellendig	ontstemd	vijandig
enthousiast	opgewekt	walgend
ernstig	opgewonden	wanhopig
geamuseerd	paniekerig	woedend
gedeprimeerd	plezierig	zenuwachtig
geïrriteerd	prima	

Boekenlijst

Hier vind je een aantal boeken i.v.m. het thema. Dit is slechts een keuze. In de openbare bibliotheek vind je meer informatie, ook over de nieuwste boeken.

Makkelijk te raadplegen :

- Boek en Jeugd; hier worden de boeken volgens thema opgenomen. CPNB (Collectieve Propaganda van het Nederlandse Boek)/NBLC (Nederlandse Bibliotheek en Lectuurcentrum) - Amsterdam. Verschijnt jaarlijks.
- Leesidee : een uitgave van Vlaams Bibliografisch Informatiecentrum over Jeugdliteratuur in Vlaanderen. Verschijnt 10 maal per jaar.
- Boekerang 1996; gids doorheen kinder- en jeugdliteratuur - 1995, Bakermat.

Jenny Bryon, Het wonder van de geboorte, Helmond, 1994.
Een fascinerend 'doorkijk'-boek over zwangerschap en geboorte.
Samen vanaf 10 jaar

Mireille Cottenje, Te klein voor de waarheid, Manteau, 1984.
Het verhaal speelt zich af tijdens de Tweede Wereldoorlog. Er zijn veel dingen waar Paule het fijne van zou willen weten, maar het lijkt alsof de volwassenen juist over die dingen willen zwijgen. Wat is er met haar vader gebeurd nadat de Gestapo hem midden in de nacht heeft meegenomen? Wat bedoelen de anderen toch als ze het hebben over 'vieze dingen'? Waarom moet haar vriend David een gele ster op zijn jas dragen?
Vanaf 12 jaar

M. Delfos, Sanne, Harlekijn, 1993.
Sanne is een therapeutisch voorleesverhaal voor kinderen die te maken hebben met mishandeling en die een laag zelfbeeld hebben. Het verhaal is een hulpmiddel om het probleem bespreekbaar te maken.
Vanaf 4 tot 12 jaar

Anke De Vries, Blauwe plekken, Lemniscaat, 1992.
Judith durft met niemand te praten over haar geheim. Ze verzint smoes na smoes om haar builen en striemen te verklaren: ze is van de trap gevallen; een stoeipartij met haar broertje is uit de hand gelopen; een stelletje jongens op straat heeft haar aangevallen. Michaël, haar klasgenoot en vriend, gelooft al die smoesjes. Totdat de verschrikkelijke waarheid hem eindelijk duidelijk wordt: Judith wordt door haar moeder afgetuigd. Het boek geeft goed weer hoe eenzaam een mishandeld kind zich kan voelen. En hoe moeilijk het is over zo'n geheim te praten. Aan het eind van het verhaal loopt Judith weg van huis. Naar Michaël en naar mensen die haar kunnen helpen.
Vanaf 12 jaar

Hans Dorrestijn, Brandnetels, Bert Bakker, 1984. Vijfde druk 1990.
Een bundel korte verhalen waarin zowel lichamelijke als geestelijke mishandeling

van kinderen een rol spelen.
Vanaf 10 jaar onder begeleiding

Imme Dros, De trimbaan, Van Goor, 1987 - 1994.
Een boek over homoseksualiteit.
Al een tijd werken Filip en Rogier aan de trimbaan vlak bij Filips huis. Het is een schok voor Filip om te horen dat Rogier homofiel is - de vriendschap wordt verbroken - maar tegelijk groeit bij Filip het besef dat de nabijheid van Rogier het doel was van zijn gezwoeg aan die baan. De hoofdfiguur, getekend vanaf zijn kleutertijd en in relatie tot zijn familie, wordt zijn geaardheid later gewaar dan de lezer. Dat verhoogt de spanning rond zijn figuur. De acceptatie, door hemzelf en door zijn omgeving is positief.
Vanaf 13 -14 jaar

Bettie Elias, De meester is een schat, Bakermat, 1994.
De laatste tijd gebeurt het steeds meer. Om niets wordt papa boos en geeft Bram een flink pak slaag. Bram durft het tegen niemand te vertellen. Tot hij op een dag met een gezwollen oog naar school komt. De meester wil er het fijne van weten. Bram wil eerst niets zeggen. Maar dan begint hij te vertellen. Zal de meester Bram kunnen helpen?
Vanaf 8 jaar

J. Glansbeek, Tante pech en de pechvogeltjes, Piramide, 1994.
Tante pech is een oude, witte uil met grote, zachte vleugels. Met deze vleugels beschermt ze dieren die door hun moeder lelijk behandeld zijn. Ze spreidt haar witte veren en zegt troostende woorden. Het is een symbolisch verhaal over wat je na mishandeling kunt doen.
Vanaf 8 jaar

Ellen Howard, Marjolein, Ploegsma, 1988.
Marjolein heeft een geheim waarover ze van haar vader niet mag praten. Pas als ze vermoedt dat ook haar zusje wordt misbruikt, durft ze iets te doen. Een beklemmend boek. Je krijgt een goed idee wat de gevolgen van seksuele mishandeling kunnen zijn.
Vanaf 12 jaar

Hadley Irwin, Abby, Elzenga, 1986.
Abby Morris vertelt aan Chip (haar vriend) dat ze al jarenlang misbruikt wordt door haar vader. De schok voor Chip is groot.
Hij gelooft Abby, maar vraagt zich ook af hoe zoiets mogelijk is. Wat moet hij doen? Hoe kan hij helpen? Allerlei 'oplossingen' zijn door Abby al doorgestreept: ziek worden... dik worden en er onaantrekkelijk uitzien... weglopen... zelfmoord... Uiteindelijk brengt Chip zijn vriendin naar een hulpverlener van de kinderbescherming. Ervoor zorgen dat de seksuele kindermishandeling stopt en van de pijn genezen die die vorm van kindermishandeling met zich mee heeft gebracht, is een lange weg.
Vanaf 14 jaar

Peter Pohl, Jan, mijn vriend, Querido, 1991.
Krille raakt bevriend met Jan. Hoe Jans familienaam is en waar hij woont weet hij niet. Af en toe verdwijnt Jan wekenlang. Even plotseling duikt hij daarna weer op, vol blauwe plekken en striemen. Het boek schetst hoe het Jan lukt om de mis-

handelingen die hij ondergaat geheim te houden voor Krille. Krilles kinderlijkheid beschermt hem echter tegen de gruwelijke werkelijkheid van Jan, waarmee hij tenslotte toch keihard wordt geconfronteerd. Een naar vorm en inhoud bijzonder boek voor de al ervaren lezer. Zelfs hij zal met de nodige vragen achterblijven. Dit maakt deze uitgave tot een echt discussieboek.
Vanaf 14 jaar

Peter Pohl, We noemen hem Anna, Amsterdam, Querido 1994.
Voor Anders nemen de pesterijen en wreedheden steeds ernstiger vormen aan, ook na de vakantie op school. Anders, wie het leven ook thuis zuur wordt gemaakt, hecht zich emotioneel sterk aan zijn idool Micke. Micke is achttien en sportleider in een zomerkamp. De constante druk, de vraag om aandacht, wordt Micke soms te veel, zeker in de tijd dat hij zijn eindexamen voorbereidt. Hij ontwijkt de jongen en zijn hulpkreten steeds meer.
De leiding van het zomerkamp wilde niet ingrijpen (de reputatie van ons kamp!), de schoolleiding wil niet ingrijpen (zo iets gebeurt niet op onze school!) en nu maakt ook Micke zich onvindbaar. Dat kan Anders niet meer aan.
Dit dikke, droeve boek is een lange, lange brief waarin Micke aan Anders uitlegt hoe het allemaal gegaan is, waarom het zo gegaan is, waarom hijzelf sterk is en Anders niet. Het is een smeekbede om vergiffenis.
Pohls tweede boek is hard in zijn compromisloze weergave van de martelgang van een kind. Het is misschien nog harder door de combinatie van schuldbesef en gevoelens van machteloosheid waaraan Micke ten prooi is en die voor iedereen herkenbaar zal zijn.
Vanaf 15 jaar + volwassenen, niet voor jongeren met pest- of problemen van mis-handeling

Anne Provoost, Mijn tante is een grindewal, Houtekiet, 1990.
Anne vindt haar verwende nichtje Tara maar een raar kind. Tot op de dag dat een groep grindewallen, een soort walvissen op de kust strandt. Dan opent Tara haar mond en vertelt ze voor het eerst haar verhaal. Een boek over het geheim van seksuele kindermishandeling.
Vanaf 12 jaar

Bas Rompa, Op een dag als ik durf, Holland-Haarlem, 1989.
Susan is een gewoon meisje van elf jaar. Ze gaat elke dag naar school, ze volgt balletlessen en heeft vrienden en vriendinnen. Ze heeft een vader en een moe-der en twee broertjes. En net als ieder ander kind beleeft Susan leuke en minder leuke dingen. Heel blij is ze als ze een poesje krijgt dat ze Piekje noemt. Ze is heel verdrietig als Piekje ziek wordt en doodgaat.
Toch gebeurt er met Susan iets bijzonders, iets dat haar in de war brengt. Eigenlijk vindt ze het fijn en vreemd tegelijk, maar ze is bang dat andere mensen het gek zullen vinden. Vroeger had Susan, net als haar vriendinnen, wel eens een vriendje, maar nu heeft ze ontdekt dat ze een bepaald meisje uit haar klas heel aardig vindt, meer dan aardig zelfs. Susan vindt haar mooi en lief. Voortdurend, dag en nacht, moet ze aan haar denken, maar ze wil het tegen niemand zeggen. Zou ze dat ooit op een dag durven?
Vanaf 11 jaar

Janet Taylor Lisie, Elfennamiddag, Querido, 1992.
Dit is een boek over verwaarlozing. Nee, erger nog. Sara probeert het in haar een-tje te redden. Haar moeder is de kluts kwijt. Haar vader is ervandoor. Er is nie-

mand die weet hoe Sara leeft. Alleen haar buurmeisje Hillary mag weten van het geheim van de elfen.
Vanaf 12 jaar

Sue Townsend, Het geheime dagboek van Adriaan Mole, Baarn Fontein, 1985-1989.
Uit Adriaans dagboeken blijkt wel dat hij het niet gemakkelijk heeft. Hij schrijft (onbegrepen) poëzie, ziet de puinhoop die zijn ouders van hun huwelijk maken, denkt na over de politiek en is nog verliefd ook. Dat alles wordt op onnavolgbare wijze door deze originele en toch doodgewone puber toevertrouwd aan zijn dagboek.
Vanaf 13 jaar

Sue Townsend, Groeipijnen van Adriaan Mole, Baarn, Fontein, 1986-1989.
Zie : 'Het geheime dagboek van Adriaan Mole'
Vanaf 13 jaar

Gil vander Heyden, De chipseter, Manteau, 1985.
Ria (14 jaar) merkt dat haar veel jongere broertje in toenemende mate wordt verwaarloosd en mishandeld door hun moeder en haar vriend. De situatie is onstabiel: vader in de gevangenis; zal moeder scheiden en hertrouwen? Ria heeft voor haar leeftijd een groot opmerkings- en incasseringsvermogen. Qua onderwerp en uitwerking een zwaar boek, waarin de auteur aangeeft dat hulp mogelijk is.
Vanaf 12 jaar

Gil vander Heyden, Een puntje krokus, Bakermat, 1994.
Een puntje krokus drukt de essentie van Gil vander Heydens poëzie uit : de krokus als symbool van het prille, het puntje als teken van het kwetsbare, wat nog tot volle bloei moet komen zoals de puber voor wie ze schrijft. Er is het besef dat je het diepste gevoel niet in woorden kunt vatten.
Vanaf 11 jaar

Sine van Mol, Dan kleurt het water rood, Clavis, 1994.
"Ik moet van mijn moeder naar Dave. Jullie mogen niet mee. Ik wil niet dat Dave aan jullie frunnikt. Jullie zijn mijn geheim," fluistert Tom. "Dave mag het niet weten. Ik weet ook niet of Dave jullie mooi vindt. Mij vindt hij mooi en lief. Weet je wat hij iedere keer zegt ? 'Dag, mijn mooie, lieve vriend.' Leuk hé."
Tom moet van zijn moeder na school naar Dave. Hij helpt Tom met zijn huistaken. Zijn ouders hebben daar geen tijd voor. Dave is Toms beste vriend ook al is hij een flink stuk ouder. Hij en Tom hebben een geheim maar Tom mag dat aan niemand vertellen...
Vanaf 11 jaar

Mieke Vanpol, Uniek exemplaar, Clavis, 1991.
Tijdens de zomervakantie verveelt de 13 jarige Vicky zich. Daarom besluit ze om met de trein naar haar nicht te gaan. Op de terugreis wordt ze lastig gevallen door een man. Ze raakt helemaal overstuur door deze ongewenste intimiteit. Die gebeurtenis kan ze niet zomaar vergeten. Ze blijft bang in onverwachte situaties. Peter, een jongen op school, helpt haar onbewust om over die angst heen te stappen.
Vanaf 12 jaar

Karel Verleyen, Zeven dagen donker, Leuven, Davidsfonds-Infodok, 1993.
Dit boek is een indringend document over incest. Het hoofdpersonage Marjan komt in een volledig isolement terecht omdat ze haar probleem niet kan en niet mag benoemen. Ze gaat kapot aan de liefkozingen van haar vader, maar schaamte en angst verhinderen haar om er over te praten. Het boek eindigt hoopvol met een sprankel licht voor het gezin.
Vanaf 13 jaar

Frans Weeber, Martins vader slaat, De Ruiter, 1990.
Martin wordt lichamelijk mishandeld. Eerst door zijn vader, later door zijn stiefvader. In aparte hoofdstukjes krijg je achtergrondinformatie. Bv. uitleg over hoe het eigenlijk komt dat Martins vader slaat. Aan het eind van het verhaal gaat de meester van Martin praten met zijn moeder en stiefvader. Waarschijnlijk komt het toch nog goed.
Vanaf 10 jaar

WETENSCHAPPELIJKE BOEKEN

Grethe Fagerstrom, Gunilla Hansson, Joch, Lotje en Minimi, Meulenhof Informatief, 1987.
Fleurig stripverhaal met seksuele voorlichting. Op heel natuurlijke wijze komen allerlei aspecten van het gezin en seksualiteit aan bod.
Vanaf 7 jaar

Peter Mayle, ill. Arthur Robins, Wat gebeurt er nu weer met me? Amsterdam, Elsevier, 1992.
Met veel humor en grappige illustraties wordt er verteld over de uiterlijke veranderingen die iedereen doormaakt tijdens zijn of haar puberteit. En over de gevolgen daarvan! Ook op videocassette.
Vanaf 10 jaar

Sanderijn Van Der Doef, Marian Latour, Ben jij ook op mij? Ploegsma.
Een boek over seks voor jonge kinderen. Duidelijk wordt gemaakt wat seks precies inhoudt. De ontwikkeling van kind tot volwassene wordt uitgebreid beschreven en in beeld gebracht. Voortplanting, kinderen krijgen, erfelijkheid wordt aanschouwelijk gemaakt. Er wordt ook verteld dat je van veel mensen kunt houden, maar dat verliefd zijn toch een heel ander speciaal gevoel is.
Van 6 tot 11 jaar

Sanderijn Van Der Doef, Kleine mensen, grote gevoelens. Kinderen en hun seksualiteit, De Brink, 1994.
Lange tijd werden seksuele gevoelens bij kinderen ontkend, maar toch bestaan ze wel degelijk. Natuurlijk moeten deze niet vergeleken worden met wat volwassenen ervaren. In deze uitgave die tot stand kwam in samenwerking met de Rutgers Stichting wordt duidelijk gemaakt wat deze gevoelens eigenlijk inhouden. Per leeftijdscategorie wordt de seksuele ontwikkeling beschreven. Er wordt verteld wat je als opvoeder kunt verwachten en hoe je er het beste mee om kunt gaan.

Er worden praktische tips gegeven over de begeleiding van kinderen in die ontwikkeling. Er wordt ook aangegeven wanneer en hoe je met hen over seksualiteit kunt praten en de meest gestelde vragen van ouders en opvoeders worden behandeld.

Video's

Er bestaat reeds heel wat videomateriaal. Het is echter aangewezen selectief te werk te gaan met het aangeboden materiaal omdat sommige realisaties niet geschikt zijn voor een jeugdig publiek.
Zeer bruikbaar in de klas zijn volgende video's.

Peter Mayer - Waar kom ik vandaan. (Where did I come from?) Nederlands gesproken, 30 minuten, kleur. Uitgebracht door RV-video Katwijk.

"Waar kom ik vandaan?" is een animatie-videofilm gemaakt door Peter Mayle. Het is een (seksuele) voorlichtingsfilm voor kinderen vanaf 5 tot 8 jaar. Alle onderwerpen, zoals het verschil tussen het lichaam van een vrouw en een man, vrijen, de bevruchting en de bevalling worden uitgebreid, begrijpelijk en met humor getekend en verteld.
Dit filmpje is het eerste in de serie "Eerste hulp voor ouders".
Er bestaat ook een gelijknamig boek over.

Peter Mayer - Wat gebeurt er nu weer met me? (What's happening to me?). Nederlands gesproken, 30 minuten, kleur. Uitgebracht door RV-video Katwijk.

"Wat gebeurt er nu weer met me ?" is de tweede videofilm van de serie *"Eerste hulp voor ouders"*, gemaakt door Peter Mayle. Deze tekenfilm is bedoeld voor kinderen vanaf 9 jaar tot 13 jaar. Er wordt uitgelegd hoe de puberteit verloopt, hoe het lichaam verandert en wat er gebeurt als je belangstelling voor 'de andere sekse krijgt'. Ook in dit filmpje wordt eerlijke en duidelijke taal gebruikt, voorzien van aardige humor.
Er bestaat ook een gelijknamig boek .

Film

'My girl', USA / 1991 / 102 min. / regie : Howard Zieff / scenario : Laurice Elehwany / camera : Paul Elliott / muziek : James Newton Howard / montage : Wendy Greene Bricmont / productie : Brian Grazer voor imagine films entertainment production / Vertolking : Dan Aykroyd (Harry Sultenfuss), Jamie Lee Curtis (Shelly Devoto), Anna Chlumsky (Vada Sultenfuss), Macaulay Culkin (Thomas), e.a. / ** (v)- ** (i) / 1 gr. s.o. / f 1 tv 422 - 423.

Geraadpleegde bronnen

Sine van Mol, *Dan kleurt het water rood*, Clavis Hasselt, 1994.

Alice W. Pope e.a., *Werken aan het gevoel van eigenwaarde*, Training van kinderen en jongeren. Dekker en Van de Vegt, Assen, 1989.

Vertrouwenartscentrum "Kind in nood", *Het mag geen pijn doen een kind te zijn,* 2de druk, 1989, V.U.B.

Centrum Kind in Nood, *Kindermishandeling, wat moet de school daarmee?*, 1994

Terry Orlick, *Spelen zonder winnen,* Bert Bakker-Amsterdam, 1980.

Jeugdwerkadviesburo Janzeuven, *Spelprojekt lekker voelen,* Jeugdwerkschrift 1983 nr. 2

Theo Olthuis, *Het geluid van vrede*, Gedichten, Ploegsma Amsterdam. 1993.

Daniel Billiet, *Een propje in mijn gezicht*, Gedichten, Infodok-Leuven, 1989.

Theo Olthuis, *Stoepkrijt*, Ploegsma, Amsterdam, 1989.

Willem Wilmink, *We zien wel wat het wordt*, Bakker, Amsterdam, 1985.

Kees Spiering, *Thuis, in een vreemde tuin*, Gedichten, Bakermat, Mechelen, 1995.

Johanna Kruit, *Vannacht zijn we verdwenen,* Gedichten, Bakermat, Mechelen, 1993

Daniel Billiet, *Als de banaan zich kromt*, Gedichten, Bakermat, Mechelen, 1994.

Gil vander Heyden, *Een puntje krokus*, Gedichten, Bakermat, Mechelen, 1994.

Daniel Billiet, *Wat de ogen niet horen,* Gedichten, Bakermat, Mechelen, 1995.

Johanna Kruit, *Zoals de wind om het huis,* Gedichten, Bakermat, Mechelen, 1995.

Daniel Billiet, *Alleen aan zee is de kust veilig*, Gedichten, Bakermat, Mechelen, 1993.

Vereniging tegen kindermishandeling, *Zo'n geheim is niet leuk*, Een brochure over seksueel misbruik van kinderen in het gezin, Nijmegen,1988.

Ben Reynders, *Pedagogische bijdragen voor technisch, kunst- en beroepsonderwijs*, Guimardstraat - Brussel, Tijdschrift.

Jeugd en Poëzie Soetendaelle Merchtem, *14e Poëziewedstrijd 1994*, Deel 2, Merchtem.

Diet Verschoor, *Zou het waar zijn wat ik zie ?*, Holland - Haarlem, 1985.

Ben Reynders, *Strikjes in de struiken*, Gedichten door kinderen, Davidsfonds/Infodok - Leuven, 1994.

Nannie Kuiper, *Zo kan het ook*, Leopold-Den Haag, 1980.

Nelleke Van Der Drift, Robert-Henk Zuidinga, *Achterwerk in de boekenkast. Brieven van en gedichten voor kinderen.*
Slijthoff-Amsterdam, 1985.

Bruikbare achtergrondliteratuur

CGSO, Seksuele vorming. Raamwerk voor opvoeders, leerkrachten en voorlichters, Gent 1994
Besteladres : CGSO (Centra voor Geboorteregeling en Seksuele
              Opvoeding)
              Meerstraat 138 B
              9000 Gent
              09/221.07.22

Centrum Kind in Nood, Kindermishandeling, wat moet de school daarmee?, Gent, 1994
Besteladres : VZW Kindermishandeling Oost-Vlaanderen
              Koning Albertlaan 196
              9000 Gent
              09/243.86.86

Dirk Pyck, Relationele en Seksuele vorming. Een overzicht van leermiddelen voor onderwijs en vormingswerk, Gent, CGSO-documentatiecentrum, juni 1994, 106 p.
Besteladres : zie hoger

Vertrouwenartscentrum "Kind in Nood", Het mag geen pijn doen een kind te zijn, Brussel, 1989.
Besteladres : Vertrouwensartsencentrum "Kind in Nood"
              Laarbeeklaan 101
              1090 Brussel
              Tel : 02/477.60.60

Nuttige adressen

Adzon vzw
Anspachlaan 160
1000 Brussel
02/513.94.02

Kindertelefoon
Postbus 50
2800 Mechelen
078/15.14.13

Vertrouwenartscentrum 'Kind in Nood', Academisch Ziekenhuis Kinderen
- V.U.B., Laarbeeklaan 101, 1090 Brussel tel. 02/477.60.60
fax 02/477.58.00

Vertrouwenartscentrum 'Kind en Gezin in Nood', Universitair ziekenhuis
Gasthuisberg Dienst Kindergeneeskunde, Herestraat 49, 3000 Leuven,
tel. 016/34.31.31, fax 016/33.21.34

Vertrouwenartscentrum 'Kind in Nood',, Albert Grisarstraat 21, 2018
Antwerpen, tel. 03/230.41.90, fax 03/230.45.82

Centrum 'Kind in Nood', Koning Albertlaan 196, 9000 Gent,
tel. 09/243.86.86, fax 09/243.86.20

Centrum 'Kind in Nood', Koningin Elisabethlaan 34, 8000 Brugge,
tel. 050/34.57.57, fax 050/33.37.08

Vetrouwenscentrum inzake kindermishandeling, Boerenkrijgsingel 30,
3500 Hasselt, tel. 011/27.46.72

Vetrouwenartscentrum, Hanswijkstraat 48, 2800 Mechelen,
tel. 015/43.11.03 , fax 015/42.05.05 (eerst bellen)

Vormingsdienst N.D.O.
Internationaal Huis van het Kind, Nieuwe laan 63, 1860 Meise,
tel: 02/269.71.80
Hier kunt U terecht voor meer informatie over 'Filosoferen met kinderen'.

Leefsleutels in het Secundair Onderwijs
'Lions Quest' is een organisatie die preventieprogramma's aanbiedt in het secundair onderwijs. Het aanleren en oefenen van sociale en persoonlijke vaardigheden staat centraal.

Leefsleutels voor Jongeren
Dit programma richt zich naar jongeren tussen 12 en 14 jaar en heeft volgende doelstellingen:
- trainen van sociale vaardigheden
- het verbeteren van de relaties van jongeren met hun omgeving: thuis - school - gemeenschap
- promotie van een gezonde levensstijl

Het programma wordt aangeleerd aan leerkrachten, begeleiders en ouders tijdens een driedaagse residentiële basistraining en drie losse terugkomdagen. Iedere deelnemer krijgt op de workshop een pakket didactisch materiaal.

In het didactisch materiaal komen zeven thema's aan bod:

1. Puberteit, een uitdaging?
2. Meer zelfvertrouwen door betere communicatie
3. Omgaan met je gevoelens
4. Betere contacten met je vrienden
5. Betere contacten thuis
6. Kritisch denken en beslissen
7. Weten wat je wil

Voor meer informatie over Leefsleutels kun je terecht op het nummer 09/210.86.20.